集韻 十

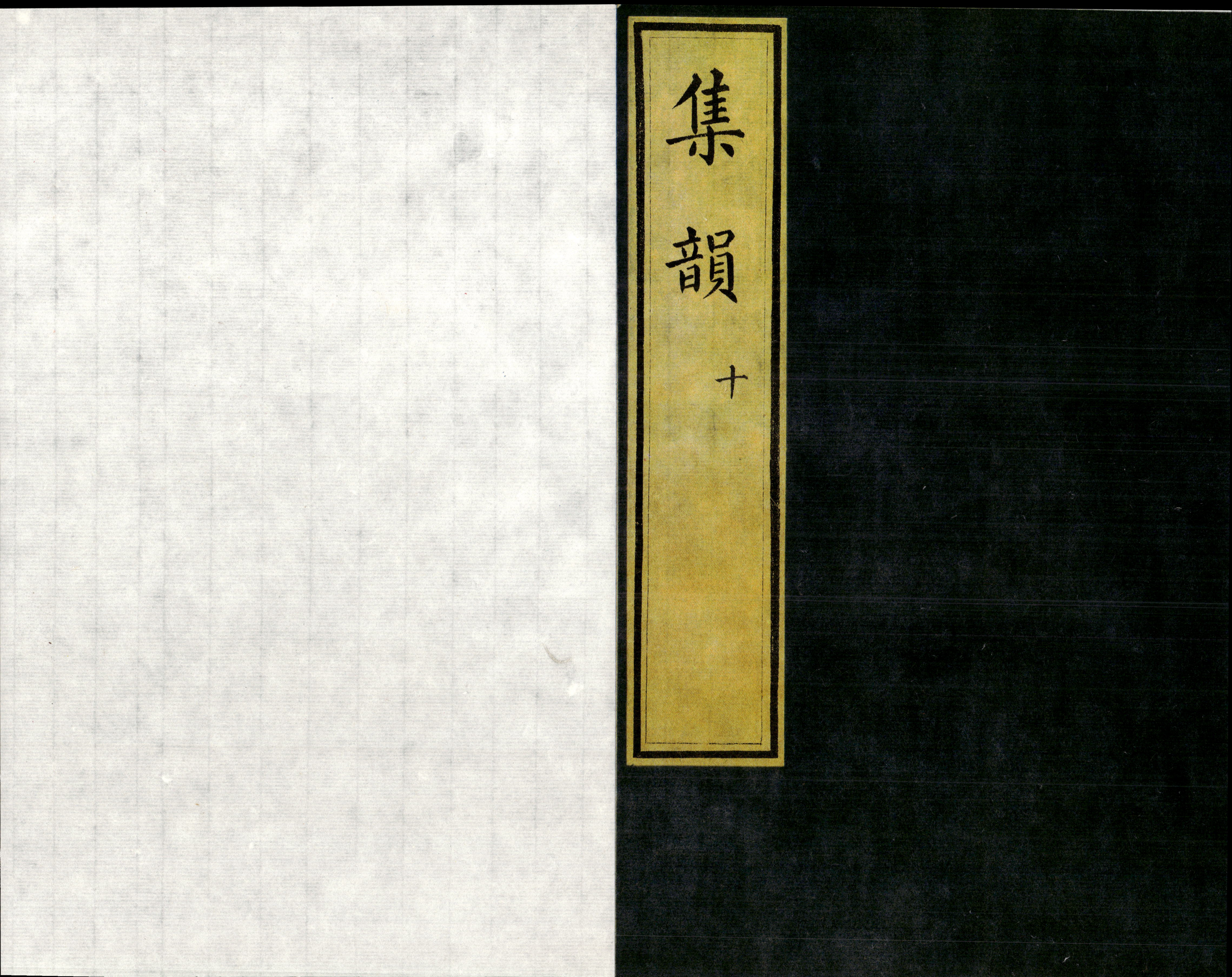

集韻 十

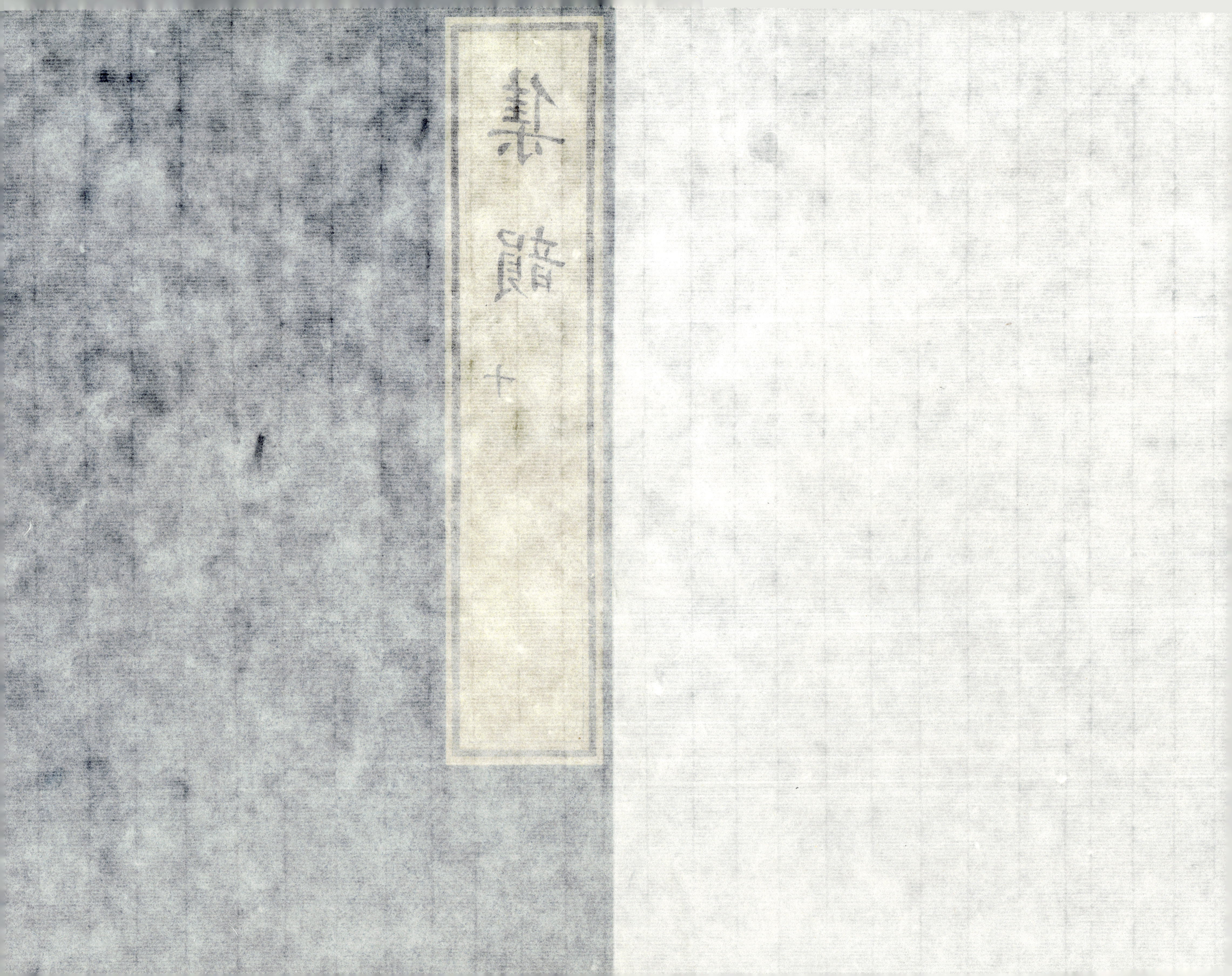

五福五代堂古稀天子寶

八徵耄念之寶

太上皇帝之寶

五福五代堂古稀天子寶

八徵耄念之寶
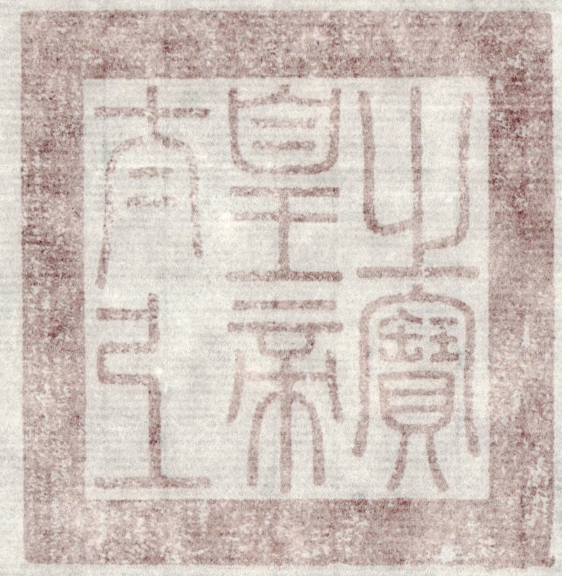
太上皇帝之寶

集韻卷之十

翰林學士兼侍讀學士朝請大夫尚書左司郎中知制誥判祕閣兼判尚書禮部詳定使護軍濟陽郡開國侯食邑一千三百戶賜紫金魚袋臣丁度等奉

敕脩定

入聲下

十八○藥弋灼切說文治病艸文四十八　⿸疒樂博雅病也一說病消曰⿸疒樂　⿸疒翟淫⿸疒翟病也　躍躒說文迅也或从樂　⿰𧾷龠⿰𧾷蘥⿰𧾷籥方言登也一曰行也或从蘥从籥　⿰女樂美皃　趯說文踊也　⿺走龠說文趠⿺走龠也謂疾走　礿禴⿰礻籥說文夏祭也或作禴禴亦从火　⿰火籥　瀹⿰氵籥說文漬也一曰水皃或作⿰氵籥　鬻說文內肉及菜湯中薄出之通作瀹汋　濼水名一曰水動皃通作濼　爚爍說文火飛也一曰爇也或作爍　⿰火夜火光　敫說文光景流也　龥⿰龠頁仰也或从龠　⿰龠見⿰目龠眩也或作⿰目龠　龠說文樂之竹管三孔以和衆聲也从品侖侖理也一曰量名合龠為合　籥說文書僮竹笘也　闟鑰說文關下牡也或从金　⿰巾龠幕屋謂之⿰巾龠　⿰素勺說文白⿰素勺縞也　⿰糸樂說文絲色也　蘥艸名說文爵麥也　⿰氵藥藥艸貫衆也一名貫節通作濼　櫟⿰木藥櫟陽縣名在雍或从藥　鸙天鸙鳥名形如鷃色似鶉　⿰虫龠蝐⿰虫龠蟲名螢也　汋挹也春秋傳汋與之也一

集韻卷之十

翰林學士兼侍讀學士玉清昭應宮判官中散大夫尚書左司郎中知制誥史館修撰判館事上護軍賜紫金魚袋臣丁度等奉

敕修定

入聲下

藥第十八與鐸通　鐸第十九

陌第二十與麥昔通　麥第二十一

昔第二十二　錫第二十三

職第二十四與德通　德第二十五

緝第二十六　合第二十七與盍通

盍第二十八　葉第二十九與帖業通

集韻入聲十　春

帖第三十　業第三十一

洽第三十二與狎通　狎第三十三

乏第三十四

十八○藥　弋灼切說文治病艸文四十八　藥　說文治也一曰藥　𤄷　躍　說文安也

瀹　說文漬也一曰　爚　說文火飛也一　龠　說文樂之竹管三孔以和衆聲也

籥　說文書僮竹笘也　鑰　說文關下牡也　禴　說文夏祭也

躍　說文迅也　趯　說文踊也　𪖝　鸙

[illegible]

曰水名　鑠爍烙也莊子鑠絶竽瑟一曰銷也或作爍　藃風吹水謂之藃　顲呼也　岀岸上出見皃　趯動也

擽竭也○䨚拂縛切大雨文二　嫥姓也○縛伏約切說文束也文一○削息約切說文鞞也一曰析也文四

娋說文小小侵也　𠝱殺小也　鵲鳥名○碏七約切石雜色一曰敬也文二十一　靖說文驚皃　踖行皃一曰踖陵地也

趞說文趞趞也一曰行皃　婼小小侵也　皵散皴也或作散　𣀣棤木皮理麤也或省通作皵　舄䧿鵲

鳥名說文䧿也象形或作䧿鵲舄又姓　狚猎獡宋良犬名或作猎獡　唶縣名　鯌魚名　潟鹵也周禮鹹潟用貆　錯

物理麤皾也　汋芍陂名在宋或作芍○𣪘𤔫𪊨爵即約切說文禮器也象爵之形中有鬯酒又持之也

所以飲器象爵者取其鳴節節足足也一曰爵位也古作𤔫𪊨隸作爵文十五　雀𪇕說文依人小鳥也或从鳥通作爵　穱稰也𥝧

爝燋爝火炬或作燋爝爝　鼩鼠名出胡地　擆博雅擇也一曰捎也掬也　矂目瞑　皭白色○皭

疾雀切白色一曰淨皃文十　嚼噍噍噬也或作噍噍　爝燋爝爝炬火或作燋爝爝　𣋯闕人名宋有謝𣋯

鼩鼠名似兔而小○鑠爍式灼切說文銷金也或作爍文二十　爍爍說文灼爍光也或从藥　爚倏爚光皃　爍

大一二十五
小六七十二

集韻入聲十　二　春

美皃　𥌃美目　趮走也　濼藥艸名爾雅濼貫衆或从艸　繳敫繳不定皃　獡說文犬獡獡不附人也南

楚謂相驚曰獡或从樂　擽地名在晉　𤻲療博雅病也或作療　踢遽皃漢書河靈矍踢　藥灼藥熱皃　爍

絲色　濯水皃○灼焦職略切說文炙也或作焦文二十九　芍艸名一曰陂名　焯說文明也引周書焯見三有俊心一曰熱

也通作灼　怍痛也驚也怒也　勺汋說文挹取也象形中有實或从水勺一曰樂名　㶭灼爍艸木華色盛皃　酌說文盛酒

行觴也一曰取也　妁媒也　謶博雅謶也一曰欺也　彴橫木渡水曰彴　摭拾也　墌築土為基　袀方言袀纏謂之褌

繁說文生絲縷也或書作繳　禚地名在齊　穛說文禾皮也　斫說文擊也　䓱艸名廣雅䓱蕘薁也　犳獸名出隄

山狀如豹而無文　鼩鼠名　炤明也詩亦孔之炤通作灼　劅博雅縞謂之劅　趵蹠跡也或作蹠　圴土跡　扚

旁擊　黝婦人以點飾○斮截側略切說文斬也或作截文二○𦑀綽淖尺約切說文緩也或省亦作淖文十

二　敪奪取物也　礐碑礐大脣皃　踔齊楚謂跛曰踔　婥好也　焯卓婥約闕人名魯有孟公焯或省通作綽

斫婥斫不解悟皃　汋水聲　婼不順也○杓實若切挹酌器通作勺文八　勺勺藥調五味也　芍芍藥

香艸妁說文酌也斟酌二姓也彴彴流星名或作彴汋說文激水聲也一曰井一有水一無水謂之瀱汋一曰陂名在宋
酌挹也春秋傳不內酌飲○弱弱日灼切說文橈也上象橈曲彡象毛氂橈弱也弱物并故从二弓隸省文二十一嫋弱也
⿰月弱說文肉表革裏也惹廣雅擎也一曰綽惹不定皃或書作惹⿰足若蹂也鄀國名介於商密秦楚其後遷於南陽郢鄀縣春
秋傳秦晉伐鄀是也溺說文水自張掖刪丹西至酒泉合黎餘波入於流沙桑欽所說蒻艸名說文蒲子可以爲平席一曰菜名蠚
螫痛也若[illegible]說文擇菜也从艸右右手也一曰杜若香艸一曰順也如也汝也一曰語辭古作[illegible]通作叒叒
[illegible]說文日初出東方湯谷所登榑桑叒木也籒作[illegible]箬篛說文所謂竹皮曰箬或作篛楉果名博雅楉榴柰也一說
楉榴安石榴渃㴔渃水大皃⿰角弱弓偏弱⿰足叒足下文○⿰石著陟略切說文斫也一曰碎石文十一櫡⿰著斤鐯
說文斫謂之櫡或从斤从金通作⿰石著婼静也⿰扌著廣雅擊也箸著被服也一曰置也或从艸芍芍藥香艸⿰亻著
施也安也亦姓勺勺藥調味和也○著直略切附也文四鐯爾雅斫謂之鐯⿰扌著擊也糴關中謂買粟麥曰糴○
辵敕略切說文乍行乍止也文十四逴博雅驚也一曰行皃踔略踔行皃躇踱超遠也春秋傳躇階而走或作踱

世明

婼說文不順也引春秋傳叔孫婼㲋說文獸也似兔青色而大⿱㲋犬小兔也獸名鄀邑名蠚⿱若虫⿱若虫蟲毒
一曰痛也或省亦作⿱若虫踼矍踼遽皃⿺辶皃跛也○略力灼切說文經略土地也一曰智也行也要也取也利也亦姓文十六⿱略手撩取
也⿱㓞各磨刃⿱㓞各爾雅剡䂮利也䛗約䛗歎美也⿱㓞鳥鳥名擽擊也掠剠說文奪取也或从刀
⿰目各眄也⿱略糸博雅緋也一曰紩也藥勺藥調味和也⿰虫京⿰虫畧⿱略䖵蟲名說文蟲蟘也一曰蜉蝣朝生暮死者或作⿰虫畧⿱略䖵
⿰言各聲也○[illegible]謔迄却切說文戲也引詩善戲謔兮或省文三蹻方言盈也山之東西曰蹻一曰爍盈皃○卻却
乞約切說文節欲也一曰退也或作却文十⿰足去行不進郤郤鄉名在河東聞喜縣或省⿸疒郤瘃瘃病或从却⿰郤見
視皃⿰虫卻蜣蟲名天社也或从羌○腳脚訖約切說文脛也或从却文八蹻說文舉足行高也引詩小子蹻蹻屩
繑鞽說文屐也或作繑亦从革通作蹻⿰谷卩節欲也⿰谷足足相踦皃○噱⿰口虐極虐切說文大笑也或作⿰口虐通作谷
嘝臄文十六谷嘝說文口上阿也从口上象其理或作嘝臄牛舌⿰虫京蟲蟟蟲名蜉蝣也⿰彳卻說文徼⿰彳卻受屈也
醵⿰酉巨說文會歛酒也或从巨蹻勪舉足行高也或从力⿰虫卻蟲名說文渠⿰虫卻蜋一曰天社⿰忄卻說文勞也⿰谷卩

說文相踦御也　臄切肉也取脾胃實膓炙之曰臄詩嘉肴脾臄　𤏘火熾　○朐筋逋約切朐鳴或从竹文二　○約乙却切說
文纏束也一曰儉也亦姓文九　扚手指節文　葯艸名白芷也　⿰食勺食節也　箹籥小者謂之箹　蒦彠度也或从
尋　西平量也　啞笑聲　○䖈虐逆約切說文殘也从虍虎足反爪人也隸省文五　瘧說文熱寒休作　岸婩婩斫
不斛悟皃　⿰石岸⿰石岸磭大脣皃一曰磑也　○篗籰篗篗䉟⿱竹或王縛切說文收絲者也或作籰篗䉟⿱竹或文十一
貜獸名說文貑貜也　𨙻𨙻𨙻周遊也　𤄷取魚竹器　⿱艹矍⿱艹矍子菜名　蠖蠖略行步進止皃　臒䐓臒
丹也　○矆矍怳縛切說文大視也或从矍文九　彏說文弓急張也　戄㦜驚也一曰遽視或作㦜　矍目不正皃
易視矍矍徐邈讀　𧮂妄言也　攫搏也　彍張弓　○躩屈縛切說文足躩如也文四　𧾵說文大步也　𢖻行皃
太玄其志𢖻𢖻　𨞰鄉名　○矍厥縛切說文隹欲逸走也从又持之矍矍也一曰遽也文二十一　𥢔艸名可染皁　韄
韄刀靶韋　𡙗健皃　攫說文扟也　𧾵大步也　𢖻行皃　钁說文大鉏也　彏急弦謂之彏　𨐇輾𨐇
車輞也　玃蠼⿰犭瞿獸名說文母猴也引爾雅玃父善顧攫持人也或从虫亦省　貜貗類似犬食猴　⿰矍鳥鳥名如鷄
大彐十五
小六彐四
集韻入聲十　四　世明
白身三首三足　蒦博雅持也　𨞰地名　⿰矛矍矛屬　躩足躩如也　⿰矍馬獸名鹿形馬足人手　欔木名　○戄局縛切諦
視也文七　𨞰鄉名在聞喜縣　𧾵大步也　𡙗健皃　貜猱類　狂狂狂犬走皃　迋往也　○臒鬱縛切善
丹也文十二　蒦彠矱度也或从尋从矢　矆遽視皃　嬳嬳作姿態也江南謂之嚄山東謂之嬳顏師古說
一曰惜也　蠖屈伸蟲也　沃茂皃詩其葉沃沃若徐邈讀　戄遽也史記晏子戄然攝衣冠謝　矆勇皃東觀漢記矆哉是翁
或作矆　矆明也　○⿰車尃⿰韋尃方縛切車上橐或从韋文三　⿰齒尃齧物聲　○逽女略切走也文三　⿵門若牽引也
⿰足若踐也　○斮𢧐土略切斬也古作𢧐文二
十九　○鐸達各切說文大鈴也軍法五人爲伍五伍爲兩兩有司馬執鐸文二十二　度庑謀也古作庑　⿰忄宅
㤞⿰忄度忖也一曰企也或作㤞⿰忄度　剫說文判也爾雅木謂之剫　踱跅跅足一曰乍前乍却或从庑　⿰言度廣雅欺也　侂
他也　喥言無度也　澤冰結也楚辭冬冰之洛澤　襗說文絝也　𩑶𩑶顱首骨　⿰月睪肒膵無撿也　䪃廣雅䪃䪃也
檡棘屬　澤格澤星名一曰妖氣一曰澤索張掖縣名　鐔劍珥　蠌爾雅蠌蠌螺屬　⿰車度轒輅轉也　○託闥各切說

文寄也文四十二侂仛㑐說文寄也謂依止也或作侂㑐橐槖𢃪說文囊也或从巾玊王名也汑滑也

𣓌析㯶說文判也引易重門擊㯶或作析㯶欜說文夜行所擊者引易重門擊欜拓𢹿托手推物或作𢹿托

跅𨂻跅落無檢咼或作𨂻魄落魄無節蘀說文艸木凡皮葉落陊地爲蘀引詩十月隕蘀籜竹皮沰赭也

袥說文衣衸魠說文哆口魚也馲駝𩦷馲駞畜名或作駝𩦷通作橐飥麰𩟗餺飥餅屬或作麰𩟗矺

矺鼠木名一曰王棘詫毀也𥨍穿也咤宅奠爵也書三祭三咤徐邈讀或省舄大皃詩松桷有舄徐邈讀斥揮斥

放縱也司馬彪說𣝂蘀說文木葉陊也或从艸𦙶𦙶䐗畜水腸一曰腹大皃𩑱腦䏭袥開衣令大也杔

杔櫨木名○洛歷各切說文水出左馮翊歸德北夷中東南入渭古書作雒通作雒文六十一濼水名在濟南䨶說文雨零也酪

𩰲𩱤說文乳漿也或从乳亦省落說文凡艸曰零木曰落一曰落居也一曰宮室始成祭之爲落亦姓漢有巴郡落下閎咯詻

訟言也或从言笿說文桮笿也一曰東也絡䌴說文絮也一曰麻未漚或从素鞈說文生革可以爲縷束也袼博雅褔袼

衣也珞瓔珞頸飾硌磊硌石皃㜰𢡆㜰也或从心𧬈𧬈詻狂言䀩說文眄也格擽擊也或从樂

躒動也㓢斱剔也或从斤鉻說文鬄也烙燒也𤻲治病也𣦼殂落死也通作落轢陵轢車所踐

轢車聲駱𩦹說文馬白色黑鬣尾也亦姓或作𩦹馲驝橐馲駞畜名或作驝亦省通作駱鵅鳥名說文烏鸔也

鸔鳥名一曰鷹赤首曰鸔皠雒鳥之白也或从隹蛒蛒蟬鳴蟲𪕈鼠名出胡地皮可爲裘鮥魚名說文叔鮪也

鱳魚名皪𤾉白色或从各櫟䮫人名春秋傳晉有輔櫟通作躒爍杲櫟木枝葉缺落皃通作樂格落

箈籬格也或作落箈霍艸名爾雅抱霍首轑頡釜也雒鳥名說文鵋鵙也洛冰謂之洛洛澤峈峈山下山皃

路纍也漢書虎路謂以繩周繞之通作落犖牛駁色翗翗翻飛皃輅王車礫白石皃○諾匿各切說文譍

也文五𢙬𢚩心然也古作𢚩𦀎統緖蠻夷布名𣭂氈屬極細可以禦雨○博䙏伯各切布也說文大通也从十

从尃尃布也又州名亦姓或作䙏文四十四簙說文局戲也六箸十二棊也古者烏曹作簙䈲䈲蠶具髆胉拍說文肩甲

也或作胉拍狛獸名似狼䶈𪘂嚩說文噍堅也或从簙亦作嚩餺鑮麰餺飥餅也或从薄亦作麰

襮纀黼領謂之襮一曰表也或从糸䙏衫短袂謂之䙏搏說文索持也一曰拊也薄迫也䡈轉

說文車下索也或从車 鎛 說文鎛鱗也鐘上橫木上金華也一曰田器引詩庤乃錢鎛 鑮鏄 十二辰頭鈴鐘也或省

牔 屋耑版 曓 說文頸連也 爆煿 火乾也一曰熱也或作煿 猼𧲖 獸名似人有翼一曰地名信都有下猼縣

或从豸 䍸 吳羊牯曰䍸 𪕹 䶈鼱鼠名 䯽 鬆也 蚹 蚹蟭蟲名螳蜋子也 欂榑 椽也或省 膊 界埒也太

玄福則有膊禍則有形 溥 溥濼水皃 暷曝 暴也亦作曝 鸔 烏鸔鳥名 犦 牛名犎也 㴧 水名 㲧 擊也

○粕 匹各切溢糟曰粕通作魄文三十八 膊䐿 說文薄脯膊之屋上或从薄 狛 獸名說文如狼善驅羊 䪙䫚

面大醜皃或从芇 魄 落魄不得志皃一曰肉顫 搏 擊也 簙 局戲六箸十二棊 韗 說文軘裹也 嚗 聲也 𪈨

暷 說文齊謂舂曰暷或作暷 濼澤洦 陂澤或作澤亦省濼古國名 翻翢翸 翻翢飛皃或从白从

專 鑮 說文大鐘淳于之屬所以應鐘磬也堵以一金樂則鼓鑮應之 靃 說文雨濡革也 蒪𦻀蒪 艸名博雅蒪苴蘘荷

也或作犦亦省 襆 博雅襆襆落也 蚌 大魚似蜴蜥 薄 薄薄驅車也 礴 旁礴混同也 蟳䗚 蟳蟭蟷蜋卵

髆胉 髆也或从專亦作胉 轉 博雅軒轉枸車也 秛 禾不實 霸 大雨 市 月始生三日 溥 溥漠水皃 嚩

嗼皃 ○泊 白各切止也一曰水白皃文二十六 薄 說文林薄也亦姓 簿𥴳 蠶具或从搏 怕 憺怕靜也 禣 博雅

禣也 箔 簾也 䪇䪇䪇 博雅靯䪇謂之鞃或从車亦作䪇䪇 鑮 鈴也一曰大鐘 欂 欂櫨也通作薄 礴

旁礴混同也 踄 說文蹈也 鱄鱄 魚名如鯉一曰或省 餺麱 餅也或从麥 蒲 蒲姑地名在齊 曓 日乾

也周禮春暴練劉昌宗讀 魄 聲也歐陽尚書火流于王屋為鵰其聲魄一曰落魄志行衰惡皃 彴 彴約奔星 䶈 鼠名 鉑 金薄也

亳 說文京兆杜陵亭一說湯都也絳州垣縣西有景亳並西接安邑蓋湯將至桀都於此誓衆故春秋傳有景亳之命杜預不釋景又曰亳今偃師

非是 ○莫䒬 末各切無也定也亦姓古作䒬文三十 幕 說文帷在上曰幕覆食案亦曰幕又姓 漠𥔲 說文北方

流沙也或作𥔲漠一曰清也 塻 塵也 䨦 雨皃 鄚 說文涿郡縣 暯 冥也 瞙眊 目不明或从毛 膜 說文肉間

胲膜也 䩋 鞈䩋皮也 摸 摸揉捫搎也 熇 火皃或書作㷬 瘼 說文病也 慔 勉也 𣨘 說文死宋募也或書作㱄

寞 寂寞無聲也 勱 勔也 嗼 說文啾嗼也一曰定也 鬕 髻飾 鏌 說文鏌釾也 䈮 䈮篥竹名 𢊆

定也空也 蟇 蟇䗩蟲名螗蜋也通作莫 謨 謀也漢書謨先聖之大繇顏師古讀 縸 絡縸張羅皃 䴲 䴲䴬䴴皮也 圙

見文

貉爾雅靜也○索昔各切說文艸有莖葉可作繩索从米糸杜林說一曰盡也法也一曰索索懼皃一曰縣名在張掖亦姓文十三

⿰扌索摸也 溹水皃一曰水名在滎陽 藗廣雅藗鞾履也 ⿱艹索艸名也 ⿱宀索寂寞 ⿰風索風聲 ⿰衤索衣聲 ⿰衤索

木梢 ⿰禾索禾皃也 鏼鐵繩也 ⿱竹索竹絙也 ⿰糸索大綯○錯倉各切說文金涂也一曰雜也乖也鑢也亦姓古作⿰金㫺文十五 ⿰金㫺

厝𥗟說文厲石也引詩他山之石可以爲厝或从石 諎陳也 剒爾雅犀謂之剒 縒縒綜亂也一曰鮮索皃 逪

說文迹逪也一曰偝也 皵⿱竹皵皴也古作⿱竹皵 䱜魚名皐前有骨如斧斤一說生子在腹朝出食暮還入 ⿱𣪊麻油麻一搾曰⿱𣪊麻

昔犢也周禮老牛之角紾而昔 碏闕人名春秋傳衛有石碏 莋艸名○作胙作乍即各切說文起

也亦姓古作胙作亦省文十三 ⿱𣪊麥屑麥蘁之也 迮倉猝也一曰起也論語三臭而迮通作作 糳毇說文糲米一斛舂爲

九斗曰糳或省通作鑿 鑿鮮明皃詩白石鑿鑿 柞木名 ⿰牛乍山牛 ⿱𣪊麻油麻一搾曰⿱𣪊麻 ⿰口糳⿰口糳⿰口糳○昨疾各切說

文累日也文三十二 醋酢說文客酌主人也或作酢 秨說文禾搖皃 鑿⿰𣪊鑿說文穿木也或省 砟石也

鈼甑也梁人呼爲鍑吳人呼爲鈼 柞說文木也 筰笮筰說文筊也一說西南夷尋以渡水益州有筰橋或作笮筰

大百十五 小六百九十 集韻入聲十 七 廷

稓𨛭鄉名在臨邛亦姓或作𨛭 莋苲說文越嶲縣名或从乍 ⿱艹酢⿱艹酢菇艸名也 ⿱𣪊言詈也 諎酬言也

⿰糸昔⿰糸乍絢緒艸絙或从乍 ⿰巾乍博雅幭幭謂之⿰巾乍 怍㤰說文慙也或作㤰 詐慙語 飵說文楚人相謁食麥

曰飵一曰養飵食也 ⿰牛乍牛名重千斤出華陰山 岞岝崿山高皃 泎水也 阼東階賓主之所酬酢也 胙祭餘肉

䄍地名亦姓○鶴鶮鸖鵠曷各切鳥名說文鳴九臯聲聞于天或作鶮鸖鵠文二十七 貈䝈貉

貉𧳜說文似狐善睡獸引論語狐貈之厚一曰說文从舟誤當从亢聲或作貉貈 ⿰馬隺說文苑名一曰馬白額 ⿰氵隺煎鹽也

⿰鼠各說文鼠出胡地皮可作裘 涸沍說文渴也或作沍 洛洛澤也 佫姓也 ⿰目隺博雅望也 ⿰禾各禾屬似黍而小

格格澤星名一曰妖氣自地屬天 翯羽白皃通作皠 郝爾雅郝郝耕也 曤皠白也史記曤然白首或从隺 霍藿

艸名爾雅抱霍首或从艸通作隺 寉鳥飛高也 挌報挌牽引也○膗黑各切說文肉羹也文二十七 鰝大鰕 鄗說文

常山縣世祖所即位今爲高邑 郝說文右扶風鄠盩屋鄉亦姓 蠚蠚螫說文螫也或作蠚亦作蓋螫 㕡

壑說文溝也或从土 㱿豕聲 滈久雨 嗃說文嗃嗃嚴酷皃一曰聲也一曰悅樂 謞謞謞崇讒慝也 熇熾也

矐睢失明也史記乃矐其目或作睢 嗀㱿嘔吐皃或省 酷虐也 醶醋也 熇火也 歊嚻也 穱黍稷

藃木乾藃也一曰草肥皃 䯉盛也 嚛食辛也 ○愙恪克各切說文敬也引春秋傳以陳備三愙或作恪亦書作

㤩又姓文四 簬籠也 絡絮也一曰生絲 ○各剛鶴切說文異辭也从口夂夂者有行而止之不相聽也文十 閣說文所以止扉

也一曰覲也一曰皮藏之所亦姓 胳說文腋下也 袼袖也一曰衤腋縫 格樹枝也一曰縄束墻版詩約之格格 骼牲後脛骨通作胳

路閣人名漢有張路 茖艸也 咯雉聲 鮥魚名如鱣喙長三尺利齒虎麀度河擊之斷卯如鴨 ○悪惡僫

遏鄂切說文過也隸作悪或从人文十一 鱷魚名如蛇或書作鰐 噁噁噁鳥聲 堊說文白涂也 蝁虫屬說文鈌也

鋈白金 啞笑聲 ⿰言惡 ⿰言亞詎也或省 ○㖾咢逆各切說文譁訟也一曰徒擊鼓隸作咢文四十六 噩⿰噩各太歲

在西曰作噩籀作𩣡通作咢鄂 ⿰咢見久視也 齶㗁腭齒齗或作咢腭 鄂口中上鄂也 諤讍諤諤直言或作讍

顎顮頟顎恭嚴也或作顮頟顎 遻愕遌愕說文相遇驚也或从心隸作遌愕 鄂鄂

說文江夏縣名亦姓或作𨚬 ⿰阝咢阜皃 崿⿰山噩崖也或从噩 堮壗埒圻也或作壗埒 僫多也 碍⿰石咢碪碍

石危皃 萼蘁華跗或从噩通作鄂 㮙穿也 鍔鉤也 㓵㓵鍔說文刀劒刃也籀作㓵或从金 鶚

雗鳶鵰屬或从隹从屰 蚲蝉 鰐鱷魚名說文似蜥易長一丈水潛吞人即浮出日南或作鰐鱷 湂水名

𥰭竹名 欂華盛皃 ○穫穫劐黃郭切說文刈穀也或从耒从刀文二十 鑊說文鑴也 檴篗

取魚竹器或作篗 廓廓廓空遠皃 濩說文雨流霤下皃一曰濩渃大水一曰室深邃一曰汚也一曰湯樂名春秋傳見舞大

濩者徐邈讀 䉟嚄食無味或从口 㦜驚也憂也 檴檴落木名可為杯器素郭璞說 瘼病瘼物在喉 獲

隕獲困迫失志皃通作獲 瓠瓠落廓落也莊子瓠落无所容梁簡文帝讀 壑叡爾雅壑阬虛也郭璞讀或省 擭捕獸機檻

䨼霍霍大雨也 熇熱也 ○霍忽郭切山名在荊州一曰國名一曰大山遶小山曰霍一曰揮霍猝遽也亦姓文二十三 靃說文飛聲

也雨而雙飛者其聲靃然 霩雲消謂之霩 漷汃漷水勢相激皃 矐暫明也 瀖濩也 懽恐懼皃 𦗨矐

䀨駭視也或从靃 藿藿艸名說文尗之少也或省 彍彉張弩也或作彉通作擴 攉搉手反覆也或从隺 劐

裂也 癨病亂也 臛肉羹也 𢦏恢廓皃 擴張大也 隺鳥飛高也 騅馬白額 濩濩濩水皃 ○

廓郭𢉢 闊鑊切開也虛也或省古作𢉢文十八 崞 嵺崞谷深 霩 說文雨止雲罷皃 鞹鞟

說文去毛皮也引論語虎豹之鞹或省 擴彍 說文弩滿也或作彉 劐劐 博雅解也或作劐 篧𥳑篧

草也或省亦作篧 擴𢶢 張大也或从郭 啷 叩聲 漷 說文水在魯 ○ 郭𩫏 光鑊切說文齊之郭氏虛善善

不能進惡惡不能退是以亡國也一曰張也古作𩫏文二十八 𩫏墎隫 說文度也民所度居也從回象城𩫏之重兩亭相對也或作墎

隫 槨椁䃶 說文葬有木𩫏也或作槨亦从石蓋古或用石 墎埻 國名山海經墎端國在流沙中或作埻 彍

彍 弩滿也或作彉通作擴 矌瞕 目張皃或作瞕 櫎 長也通作廣 𡼭崞陮 說文山在鴈門隸作崞或作陮

鞹 鞹公鳥名 漷 水名在魯 擴𢶢 張大也孟子擴而充之或从郭 聹矌 大耳或从廣 啷 噓也 漷 灌也

爟 灼也 𩃫 从雨 ○ 雘 屋郭切說文善丹也引周書惟其敫丹雘文十二 䨼 度也 蠖 說文尺蠖屈申蟲也 鸌 水鳥

嬳嬳 作姿態也或从矍 餶嚄 無味也伊尹曰甘而不餶餶肥而不饋或从口 噁 鳥聲 馲 馲駝畜名 鷂 鳥名

鑊 白金 ○ 矆 五郭切王璞文三 犨 牛白皃 騅 馬名 ○ 沰 當各切滴也文二 矺 磓也 ○ 礴 盧䥶

大一丂二十一
小六丂六十五

切䃶䃶石 ○ 𠿚 祖郭切𠿚𠿚鳴聲文一

二十○陌 莫白切阡陌田閒道南北曰阡東西曰陌文二十七 佰 說文相什佰也 帞絈 博雅𢂍帞謂之幧帞或作絈

𦵏 靜也 莫 德正應和曰莫鄭康成說 袹 廣雅襹襠謂之袹腹 挌拍 擊也或从白 鉑 鉑刀兵器 𢊼 說文

覆也青絲頭覆 趏 越也 洦𣶒 淺水或从陌 貉貊 說文北方豸種也孔子曰貉之為言惡也一曰靜也定也一曰縮綸也即

綸繩也謂牽縛貉之郭璞說或从百 駝貊 獸名說文駝駝一說似騾而小或作貊 貘 獸名說文似熊而黃黑色出蜀中 驀 說文

上馬也 蓦 說文死宋蓦也 𣨼 死宋蓦也从歺 蛨 蚍蛨蟲名蠻蟟也 嗼 博雅安也 嗼漠瀵 嗼岶密皃或从水亦

作瀵 ○ 拍挌 匹陌切說文拊也或从白文二十一 胈 破物也 皏 說文迮也引周書常皏常任 皛 明也 䨔𩳁𪓕

疾皃或从三兔 怕 說文無為也古書作怕通作泊 魄 說文陰神也 霸𩂅𢒇 月始生古作𩂅𢒇 珀 琥珀出罽賓國通作

魄 洦 說文淺水也 岶泊澥 嗼岶密皃或作泊澥 皅 白色 胉 脅也 粕 糟也 趌 逼也 ○ 百百

博陌切說文十十也从一白數十百為一貫相章也亦姓古从自文十七 伯白 說文長也一曰爵名亦姓古省 迫 說文近也通作敀 䒱 䒱藍

艸名柏栢木名說文掬也或从百洦⿰氵柏淺水皃或从柏瓸甋瓬甓也胉脅也禡師祭也禮禡於所征之地
敀說文迮也欂壁柱佰百人之長擈擊聲○白⿱白丨⿰白白薄陌切說文西方色也陰用事物色白从入合二二陰數
一曰告也亦姓古作皁或作帕文十五帛說文繒也⿰白犬獸名似狼或書作狛苩姓也百濟有苩氏⿱艹帛艸名象帛通作帛⿱竹白
竹名皮白舶艊蠻夷汎海舟曰舶或从帛鮊說文海魚名廣雅鱎也⿰白鳥字林鵖郁鳥名似鶡出懸雍山欂枅也⿰白瓦瓦屋
不泥也柏木名○磔陟格切說文辜也通作矺文二十二仛人所豎立矺磓也搩⿱桀手手度物或作⿱桀手厇
張也吒嘲也乇說文艸葉从垂穗上貫一下有根象形杔杔櫨盞酒具一曰柱上枅舴舴艋小舟也⿸广乇張設屋一曰
縣名在濟陰蠂虴⿰虫宅土蠂蟲名似蝗而小或作虴⿰虫宅⿱艹乇藥艸⿰乇頁⿰乇頁顱髑髏也粍粍屑米爲飲一曰粘也
馲⿰馬乍⿰犭乇⿰豸乇馲駱獸名驢父牛母或作⿰馬乍⿰犭乇⿰豸乇諎大聲○⿰土㡿⿰扌㡿斥坼拆宅恥格
切說文裂也引詩不坼不副或从手亦作斥坼拆宅文十五⿰片斥⿰片㡿開也或从㡿⿰㡿皮皴也⿺走斥⿺走㡿跓步也一曰距也或作⿺走㡿
⿰乇頁項骨⿰韋斥韄⿰韋斥刀靶中韋⿰食蒦食無味⿰骨易骨間汁○宅宒⿸广乇度直格切說文所託也古作

宒⿸广乇或作度文二十四澤臭說文光潤也古作臭⿰忄宅懲也擇𢍉說文柬選也或从廾⿰韋睪⿰韋睪韄刀靶韋也
襗袴也檡木名棘也蘀䕉蘀葛藥艸或作䕉礋神異經西方有獸長短如人羊頭猴尾名礋碑健行翟
雉名一曰陽翟縣名亦姓⿰宅鳥⿰宅鳥鶴鳥名錦文也鸅⿰睪隹鳥名鵜鶘也或从隹通作澤蠌水蟲爾雅蜡蠌小者蟧螺類也⿱艹睪
葛屬⿰翟羽⿰翟羽⿰翟羽飛皃乇艸皃櫂樹枝直上皃○⿰足若昵格切踐也文九⿰米弱粉餌⿱弱土水土和也搦⿰弱攴說文
按也或从攴嫋長皃眲輕視也列子見商丘開衣冠不檢莫不眲之一曰耳目不相信⿰木弱木名⿰角萬角似雞距○垎轄格切說
文水乾也一曰堅也文十三胳腋也洛冱凍堅也或作冱⿺走各廣雅⿺走各⿺走各僵也格捍格不入也⿰木客榹架也⿰車客
輅車前橫木或作輅涸水竭⿰彳各方言登也柳角械木也一曰木名一曰案足蛒蛭蛒蟲名地蛈蝪也○赫爀
⿰并赤焃郝格切說文火赤皃或从火亦作⿰并赤焃赫一曰明也文十九⿰赤色赤色嚇茾奭怒也或作茾奭通作赫
⿰目赫目赤讗說文言壯皃一曰數相怒閲恨也懼也⿰忄閲⿰忄閲⿰忄虎赤紙⿰赤見見也燁燒也⿸虍⿱殳土虛也⿰忄閲楚人謂懃曰⿰忄閲
⿰忄虎⿰氵閲⿰氵閲沐惶遽也捇掘土謂之捇⿰翟羽⿰翟羽或⿰翟羽疾飛也○客乞格切說文寄也文六⿰血客喀嘔也國語伏弢

喀血或从口揢搦也硌石堅也茉茉茉懼也○格各領切說文木長皃一曰式也正也文二十四𢦏㪾捕也鬬也
或从亣佫佫假假路至也或作佫假假路通作格挌敋說文擊也或作敋骼說文禽獸之骨曰骼
胳牲後脛骨觡說文骨角之名也一說鹿角無枝曰角有枝曰觡鉻鈎也一曰鬄也挌說文枝挌也一曰木枝橫者茖說文
艸也一曰山葱格耕也𪍿麥碎曰𪍿鴼鴼鵅鳥名鵅鶹也鮥魚名或省蛒蟲名方言蛅諸謂之杜蛒一曰
蛞蛒地蠶一曰蛐蟺路闟人名漢有張路柳角械木○啞乙格切說文笑也引易笑言啞啞或从言文四䬶飢也
韄佩刀絲也○額頟鄂格切說文顙也或作頟文十一詻說文論訟也傳曰詻詻孔子容峉嶺山高大皃楚辭山阜
峉峉或从領礐碑礋礐西方獸名或省鰐鰐鰐魚名皮有文鄂柞鄂取獸阱中木鞳補履謂之鞳敋
擊○獲胡陌切說文獵所獲也一曰獸名亦姓文十一讗嚆讗讗諍也一曰言壯皃一曰數相怒或作嚆𣢸吐聲韄
說文佩刀絲也嚄大呼也一曰嚄嚄多言穫收禾也彠蒦博雅度也或省鑊魚名大鮎也濩濩澤縣名在澤
州○諜謔霍虢切諜然速也或作謔文二十愭心驚皃燡火光或作燡𡉏皮骨相離聲或書作砉

大百十八
小六又五
集韻入聲十
十一
世明

騞解牛聲莊子奏刀騞然翶翻翶翻飛疾皃或从隺湱湖湱大波相激聲漷郭水名在魯或省捇
𢷎說文裂也或从赫䦧開也剨破聲䬞風熱皃湱㶁水聲或从虢讗說文言壯皃一曰數相怒○
劐劃廓擭切解也裂也或作劃文四漷水名在魯蛶蟲名天神也○虢郭擭切說文虎所攫畫明文也亦姓文十
一㶁說文水裂去也䜑䜑䜑多言摅敋打也或作敋漷水名在魯墎埻墎端國名隸作埻唬虎聲
䁨開目皃神異經八荒有毛人見人則瞑目開口郭國名春秋傳攻郭則虞救之通作虢○擭屋虢切說文搫擭也一曰布擭也一曰
握也文十四蒦彠艸名說文規蒦商也一曰度也或从尋矆視遽皃通作蒦嚄驚怛聲韄韄韄靳刀鞄
中韋或从華濩濩澤縣名在河東𡿂陂名一曰村名在吳王舊城側攫取也𣢸吐聲𩞄食無味
觟䚩角似鷄距或从萬○碧筆戟切石之青美者文二狛獸名○䈾彌碧切說文壁柱也薄欂
或作薄欂文三○索色窄切博雅取也一曰求也通作捸文二十一捸擇也傃偩傃惡也溹雨皃一曰水名在滎陽一曰水出聞
喜縣㾍脉動也𥢸禾穗也趚趚趚僵也鬚鬆堅皃𥼲麥米為𥼲䃕隙說文碎石隕聲或从阜

索說文入家接也 蓑艸名 霡霂雨也或从索 飀風聲 褬褬褬衣聲 槺棟木枝上生或从

束 鏼鐵弗 䈿竹弗 ○柞助伯切柞鄂捕獸檻中機也文二 唶唶唶聲也 ○踖測窄切破豆也文三 䥘

杈刺取魚鼈也 矠說文矛屬 ○迮側格切說文迮迮起也一曰迫也文二十一 窄狹也 岝岝峉山皃 迮姓也

笮筰迮說文迫也在瓦之下棼上一曰矢箙皮曰箙竹曰笮一曰迮也亦姓或作筰迮 ⿰氵昔說文所以攤水也引漢律及其門首洒⿰氵昔

蚱蚱蜢蟬屬 舴舴艋舟名 唶聲也春秋傳行邑唶唶 蚝蚝蛨蟲名蜙蝑也 鵲鳥名博雅鶼鶬鴕也 措追捕也漢

書迫措青徐盜賊 咋大聲 柞除艸曰芟除木曰柞 餎餾也 苲艸也 䨊雨皃 齰齚說文齧也或从乍

○齰齚實窄切齧也或从乍通作咋文十四 峼嶛峼山形 咋呹咋多聲 泎灂瀺泎水落皃或作灂 岝

岝峉山峻皃 諎大聲 舴舴艋小舟 柞除木曰柞 蚱蟬屬 笮筰也 簎說文刺也引周禮簎魚鼈通作矠

矠矛屬 ○虩迄逆切恐懼也說文引易履虎尾虩虩一曰蟲名蠅虎也文二 謋疾意莊子謋然已解徐邈讀 ○隙𨻶

𧮰䧍乞逆切說文壁際孔也一曰閑也或作𧮰𧮰䧍文十六 郤郄地名晉大夫叔虎邑亦姓或作郄 𨑨說文曲行也 𡭴

說文際見之白也从白上下小見 㑧廣雅券㑧極也 ⿰忄卻疲也 ⿰口卻大笑 綌⿰糸卻㡁說文麤葛也或作⿰糸卻亦从巾 覤

覤覤驚懼皃 匸物曲也一曰曲受也 ○⿰口巂乎白切⿰口巂⿰口巂咢也文一 ○戟𢧢訖逆切說文有枝兵也引周禮戟長丈六尺或作𢧢

文十四 撠拘持也 丮丸說文持也象手有所丮據也隸作丸 ⿰口丮⿰口戟聲也或从戟 ⿰髟戟髭皃 ⿰忄卻⿰谷丸疲也

相踦也 ⿰犭丮犱獸名窮獲也或作犱 ⿱艹戟大戟巴戟皆藥艸 躆手據地也太玄躆戰喈喈一曰動作也 ○劇竭戟

切增也一曰艱也一曰縣名在北海文十一 ⿰口劇嗢⿰口劇笑不出 ⿰亻谷丸㑧俗⿰忄卻⿰谷丸方言倦也或作㑧俗⿰忄卻⿰谷丸 屐

說文屩也 ⿰車𠬝車軸伏兔 ⿰木卻說文角械也一曰木下白 跂足也莊子闉跂支離 ○逆仡戟切說文迎也關東曰逆關西曰迎一

曰却也亂也文五 屰說文不順也从干下屮屰之也 ⿰口屰嘔也 縌⿰糸屰說文綬維也或省 ○礐離宅切石聲文一

二十一○麥莫獲切說文芒穀秋種厚薶故謂之麥麥金也金王而生火王而死从來有穗者从夊亦姓俗作麦非是文十八

⿰馬麥驢⿰馬麥騾屬 霢霡⿱雨麥說文霢霂小雨也或作霡⿱雨麥 衇脈脉說文血理分衺行體者或从肉亦作脉

眽眿說文目財視也或作眿 覛相視也或書作眽 ⿰麥鳥⿰麥隹鳥名或从隹 騞解牛聲莊子奏刀騞然 覛

眽眿

二十一〇麥

覭髳茀離也艸木叢生皃䇷方言車枸簍謂之䇷鷿鳥鷉視派泉潛通○蘗博厄切艸名山蘄也一名當歸
文十六𤀹水分流檗說文黃木也或从薜糪說文炊米者謂之糪擘說文撝也一曰大指或書作擗擗
亙中小硬者辟禮鹿圍為辟雞曰冠裳辟積僻摘僻多禮節皃通作辟甓爾雅瓴甋謂之甓繴𦊅捕鳥罔或
作𦊅⿰扌𠂢博雅裂也鷿鳥名方言野鳧其小好沒水中者南楚謂之鷿鷈繴織絲帶也疈磔牲也○擗匹麥切擗
擽中聲文八鎃梁益謂裁木為器曰鎃糪⿰米責米飯半腥半熟曰糪或作⿰米責⿰片𠂢劈分也或作劈繴
𦊅鳥罔或作𦊅○繴蒲革切說文繴謂之罿罿謂之罬罬謂之罦捕鳥覆車也或作𦊅文六繴織絲為帶謂之
繴欂薄欂欂櫨壁柱或作薄欂○棟棟色責切木名中車輞爾雅赤棟白棟或作棟文二十摵隕落
謂之摵擌鷙擌捕鳥也愬虩覤鸆懼謂之愬或作虩覤⿰革朿堅也⿱雨冊霢霰也涑⿱雨朿⿰氵策
說文小雨零皃或作⿱雨朿⿰氵策⿰氵昔所以攤水也⿸疒朿⿸疒敕瘯瘶寒病或夂敕捒擇也⿰禾朿⿰禾朿穪壞也⿰金朿
檜也⿰米冊糝也𦺇以穀飼馬○策筴莿測革切說文馬箠也一曰謀也一曰箸也一曰小箕曰筴或作筴莿文三十一冊

冊笧說文符命也諸侯進受於王象其札一長一短中有二編之形或作冊古作𠕋通作策筴𠕋說文告也敇𢻭
說文擊馬也或作敇通作策憡㥽博雅痛也或省⿰忄責耿介也皟淨也嫧𡢃博雅好也齊也或作𡢃
茦說文莿也⿰正責正也⿰金冊鐵器⿺齒責齰幘齒相值或从昔亦作幘柵說文編樹木也⿰冊攴撼
博雅擊也或作撼猎簎刺取也國語猎魚鼈或作簎𦺇說文以穀萎馬置莝中⿰米冊粽也南齊虞悰作扁米⿰米冊⿰米朿
⿰米啇⿰米朿壞米⿰扌策㨙扶也或省○𧷗責側革切說文求也隸作責文二十一嘖嘖嘖鳴也謮怒也讓也通作嘖
⿰目責張目諎唶說文大聲也或作唶䫏頭不正嫧說文齊也一曰善也幘說文髮有巾曰幘一說古賤服漢元帝額有壯髮故
服之王莽禿又加巾簀說文牀棧也或从爿䐿魚子脯也債負財也蠌小貝鰿小魚⿰忄責博雅情也皟
淨也⿱雨責雨皃樍木名穡也⿰矛責矛屬○賾嚽士革切幽深難見也孔穎達說或作嚽通作嘖文十五嘖謮
說文大呼也或从言⿰耒責博雅⿰耒責⿰耒責種也一說種衣中蓋畚田葃菜名⿺齒責說文齒相值也一曰齧也引春秋傳晳⿺齒責歖欪歖語笑聲
趚䟄𨗳走皃或从彳从辵謫方言怒也謂相責怒⿰米責白米也鰿小魚蠌小貝○撼率摑切拂也文

㵻寒皃槭木枝空皃○𢹂簪摑切裂聲文一○趚𧼝查畫切急走也或从責文二○摘擿
陟革切取也或从適文二十八讁謫適說文罰也或作謫亦省嫡嬌也𪏭𥼶博雅博也黏也或从米持
㨶檍樀擿說文搥也或作㨶檍樀擿𥨎兔窟猲說文犬張耳皃鸇雉屬聑耳豎皃或从二耳
䁤目豎𪍿博雅𪍿麋粡也厤石名䮰驕駿騾屬𦡯挑取骨間肉倜無悍也硩取山厓上珊瑚謂之硩
𩞄日月𩞄蝕䯧骨間汁䩑柔革○𥗐力摘切𥗐礋田器文五砶礐石聲或作礐𧇒恐懼皃彼
姓也出東平○疒𤴔尼厄切說文倚也人有疾病象倚箸之形籀作疒文四䎱耳目不相信𩜞說文楚謂小兒嬾𩜞
一曰餅屬○覈𩃟礉下革切說文實也考事而笮邀遮其辭得實曰覈或从雨从石文二十一𥽺穀糠不破者通作覈滆
湖名在陽羨䃒說文石地惡也翮翨說文羽莖也羽本謂之翮或作翨𩋜拔也核槅果中核或作槅𩏂博雅
補也𣫸燒麥柃𣫸也彏束弓弩衣䕻西方名蒲中莖為䕻繳𧞤衣領中骨或从衣覡男巫絯拘束也莊
子方且為物絯徐邈讀䋻衣領內謂之䋻鷊鳴鷊鳥名○礊克革切說文堅也文十一䩹𧛢說文裘裹也一曰薄

也或从衣緙緯也紩也諽愅飾也謹也或从心㥛博雅愛也一曰疾也硈磬硈水激石不平皃𣪍器空
盡𧇁虎聲𣪠聲也○隔各核切說文障也通作鬲文二十七䈇槅竹障或从木膈䐙肓也或从
革諽愅說文飾也一曰謹也更也或从心㒰智也通作譎䨣雨也革𠦴說文獸皮治去其毛革更之象
古文革之形古从三十三十年為一世而道更也臼聲搹把也𩌰博雅𩌰勒也䩴說文翅也虢說文虎聲也鰝魚名鬲
縣名在平原一曰鼎屬亦姓䛐慧也槅說文大車枙磍地多石嘩嗝嘩嗝鳥鳴也或作嗝䁥目不正𩏂
補也彏束弓弩衣滆湖名在陽羨𢫬改治也○戹厄乙革切說文隘也或作厄文二十八阸阨說文塞也
或作阨餩䬹說文飢也或作䬹𧠟覗善驚也一曰視皃或作覗搤說文捉也搹𢯜扼說文把也或作𢯜扼
軶䡋枙說文轅前也或作䡋枙豟犯貈爾雅豕絕有力者或从犬古作貈鷁鷁鷊說文鳥屬或从鬲亦
作鷊蚅蟲名爾雅蚅鳥蠋似蠶砨砐砨土名也嗌咽喉也㰦㰦敱笑語謋欸聲也或从欠呝說文喔也一曰鳥聲一
曰逆氣一曰小兒啼○鶂逆革切小艸也有雜色似綬一曰鳥名文八鳽雅鳥名爾雅鳽鵁鶄似鳧高足毛冠或从隹䩹覆首謂之

韉彉東弓弩衣鴉鳥名婳好皃磆硍石也○畫畫劃畫胡麥切說文界也象田四界聿

所以畫之古作畫劃隷省文十四劃𠟗裂衣也或从隻嫿好皃嚍咟嚍嚍叫呼也或从百繣徽也一曰結礙也

澅水名在齊漢有澅清侯國砉砉然皮骨相離聲崔譔說𢡃乖刺也𢷾擗也○𢡃忽麥切博雅𢡃𢡃乖刺也文二

十一嫿說文靜好也𢡃裂帛聲𥇞目病繣徽也劃𠟗剨說文錐刀曰劃或作𠟗剨𨶹開也

掝𢷾博雅裂也或从畫𢽽吹氣也通作㖪膕並足也韄味辛也䎀䎀䎀飛也或作䎀鞶韉聲

𥨣𥨣然通風聲㖪聲也𤸇頭痛皃淢流也○聝馘𢦏古獲切說文軍戰斷耳也引春秋傳以為俘馘

或从首亦作𢦏文二十五𪔵𪔵𪔵鼓聲也漍水也幗簂婦人喪冠也或从竹膕䐸博雅膕胐曲脚也或从骨䜁詩也一曰

壯言摑批也慖悖也嘓㖪嘓嘓語煩口或从或摵批也䘸大血䂸擊石颹颹颹赤氣熱風之祚也𨉲

𨉲𨉲倮也蟈蜮螻蟈蟲名蛙也或作蜮鏳鐵器盻目皃擴張也彍車弓○劐口獲切博雅劐裂也文二𥗼

石硬聲○䞤求獲切䞤蔖足長皃文二閴靜也○逷湯革切爾雅遐逷遠也郭璞讀文二擿博雅搔也○𤸬尹厄切𤸬

𤸬寒病文四𥻘𥻘糠壞米𥉮睪目明皃𩪋骨間汁○蹢洽革切蹢躅不行也徐邈說文十二適適適驚視自失

皃謫讁博雅責也或从適通作適𥨎窟也𤄷潪土得水也或省𥻨博雅摶也𪍴麥屑擿投也

鏑日月鏑蝕𩪋骨間汁○簎倉格切刺取魚鼈也文一

二十二○𦠆昔㫺腊思積切說文乾肉也从殘肉日以晞之隷作昔籒从肉或作腊昔一曰古也亦姓文三十三

𣳫博雅隁也焟䁤博雅曝也或从日皵皴也惜說文痛也一曰貪也𩭖鬛說文鬛也或从也𩪍膀間

舄䳶鞨鞳履也或作鞨鞳㮦木履䃂博雅碏碣礩磌也蕮藒馬蕮艸名車前也或作蒍棤爾雅棤皵

木皮甲錯也謝嶠說蚸蟲名似蝗爾雅蟿螽蟒蚸孫炎讀醳昔酒也徐邈讀猎𤡢山海經先民之山有黑虫狀如熊名曰猎猎或

从舄緆細布也劉昌宗說碏礏也䧿雉名𡟂女字𥨍𥧨夜也或省通作昔𢴍摘也晳白也

潟鹵地也○皵七迹切皴也文二十嫧齊也䚍覿也䵝䵝色敗黑莿艸名棗也諎䛩立也刺措

穿也傷也或作措趚趞側行也或作趞𧼜怒遽也𧙗𧙗膝裙衸也洓水名在地北庴縣名在清河

磧說文水渚有石者踖有容也詩執爨踖踖籍刺取龜魚也周禮凡邦之籍事沈重讀赤捇除撥也周禮赤犮氏或从

手蟿蟲名廣雅蟿螅蝑也○積資昔切說文聚也文三十五襀襞積衣間蹴也膌瘠說文瘦也古作

瘠脊脊說文背呂也隸作脊楕屋櫋木也趚說文側行也引詩謂地蓋厚不敢不趚踖說文小步也引詩不

敢不蹐嵴山脊唶嘆聲迹遺跡速蹟跡說文步處也或作遺跡速蹟跡踖說文長脛行也

借說文假也鶺鴒鳥名爾雅鶺鴒雝渠雀屬也飛則鳴行則搖或从脊亦書作䳭鰿魚名鯽也蟦貝也爾雅蟦小而橢

鰿鯽說文魚名或从即瀐水出也樍木名樌也磧碃磧磧也燋灼龜炬也呰此也積稘積種也

䓯艸名耤天子諸侯所耕田借人力以終之䏡脚膱光澤皃厝縣名○席㡿祥亦切說文籍也禮天子

諸侯席有黼繡純飾从巾庶省亦姓古作㡿俗作蓆非是文十五蓆說文廣多也夕說文莫也从月半見穸說文窀穸也汐

水名出陽城山一曰海潮汐池也䣢鄉名在臨邛繹又祭也宗廟有繹徐邈說皵木皮甲錯也躤藉踐也或省褯

被衸褯也猎黑獸似熊嶧山名踖躐也○籍秦昔切說文簿書也文二十五耤說文帝耤千畝也古者使民如

大百廿　小六八十九

借故謂之耤通作藉藉艸不編狼藉也亦姓莋葃茹艸也或从昨䎘刺取魚鼈也膌脨㾊瘠

胔瘦也或作脨㾊瘠胔塉薄土𨞄說文蜀地也厝縣名在清河猎獸名似熊也脊死骨借

假取春秋傳計功則借人也陸德明讀揹擊也筰緒引舟筊或作緒䟒小步踖䠞躤趞踐也或从

走耤从藉○釋澤繹施隻切說文解也从釆釆取其分別物也或作澤繹通作醳文三十六䆁說文漬米也釋

耕皃檡木名適說文之也宋魯語亦姓夾夾盜竊褱物也或作夾奭奭奭說文盛也北燕召公名古

作奭或作奭睪視皃睗說文目疾視也暘日覆雲暫見也襫襏襫蓑襞也冟說文飯剛柔不調相箸郝

姓也臭大白澤也螫蠚說文蟲行毒也或作蠚液醳漬也周禮春液角沈重讀或作醳舍置也婼

闕人名春秋傳叔孫婼徐邈讀剔鬄剃也莊子燒之剔之徐邈讀或从髟䵣方言色也一曰䵣然赤色也覞普眡啇和也

嘀囑也嫡婦人謂嫁曰嫡瘍閩中謂病相傳爲瘍拓摭拾也或作摭嬕女字○尺昌石切說文十寸也人手

卻十分動脈爲寸口十寸爲尺尺所以指尺規榘事也从尸从乙乙所識也周制寸尺咫尋常仞諸度量皆以人之體爲法文十九赤烾說文南方色也

从大从火古从炎土庨說文卻屋也斥指名一曰大也踈也通作庨滷潟苦地或从舄通作庨斥臭臭
大白澤也或作臭蚸蚸蟆蚸蟲名似蜙蝑細長飛翅作聲者或从庨蚇蚇蠖蟲名今蝍蛾訴毀也拆擊也卤姓也
跅斥也漢書跅弛之士謂士行卓異不入俗檢如見斥逐如淳說一曰跣也覛普視也睪視皃郝盩厔鄉名○隻
之石切說文鳥一枚也从又持隹持一隹曰隻持二隹曰雙文二十三拓摭摕說文拾也陳宋語或从庶古作摕蹠說文楚人謂跳躍曰蹠
蹠跖說文足下也趏行也適往也裓襰袖也或作襰炙錬說文炮肉也从肉在火播作錬霙霙霙
大雨廦从也墌坧基址也或从石蟅蚸蟲名蟅蚸也或作蚸腋胳也趟走皃祏宗廟主螪字林蟲名
膌瘠也○石后常隻切說文山石也在厂之下口象形一曰州名亦姓古作后文十鉐鍮鉐以石藥冶銅祏說文宗廟主也
周禮有郊宗石室一曰大夫以石為主柘說文百二十斤也稻一柘為粟二十斗禾黍一柘為粟十六斗大半斗碩說文頭大也䳭
鳥名雝鶒也鼫說文五技鼠也能飛不能過屋能緣不能窮木能游不能渡谷能穴不能掩身能走不能先人一曰形大如鼠頭似兔尾有毛青黃
色好在田中食粟豆郭璞說蚸蟲名螳蜋也一名蚸蜋妬女無子○躲射食亦切弓弩發也或从寸文四麝

獸名爾雅麝麚父腳似麕有香滶水名出詹諸山○䵂竹益切黏也文四㵢潪說文土得水沮也或省嫡嫡嬬女審
諦○彳丑亦切說文小步也象人脛三屬相連也文六甋㼤盛酒器或作㼤栜槂也捒捒拔擿也辵
跛也○擿擲直炙切說文搔也一曰投也或作擲文十三蹢躑蹢說文住足也或曰蹢躅賈侍中說足垢也亦作躑古作蹢
鄭䣢縣名在南陽或作䣢麱說文麥覈屑也十斤為三斗蠀蟵蠾蟲名㵢土得水謂之㵢𦾈𦿑艸名
博雅羊蹢躅英光也或作䔄樀磨牀○益伊昔切說文饒也从水皿皿益之意也古通作𦜉文十謚說文笑皃嗌𦜉
說文咽也籀作𦜉上象口下象頸脈理也𪕊鼠名膉脰肉也一曰豕伏槽一曰肥也䣻地名蓋蓋母艸名莶蒽也䴰說文麋鹿
粻嫛女字○睪睾夷益切說文司視也从橫目从幸令吏將目捕罪人也古作睾文五十七繹說文抽絲也一曰陳也理
也襗祭之明日又祭名彤周曰繹通作繹𩟐𩟐飯壞曰𩟐襗襗袍襦𧚔袔袘袖也醳澤苦酒一曰醇酒
也或作澤掖說文以手持人臂投地也一曰臂下也一曰門旁小門也通作液亦姓𦋺說文引給也腋胳也在肘後通作掖亦
說文人之臂亦也从大象兩亦之形一曰又也奕說文大也引詩奕奕梁山一曰奕奕行也方言奕僷容也自關而西凡美容謂之僷奕奕僷僷皆輕麗皃

古作[illegible] 亦 [illegible] 大也 [illegible] 通作[illegible] 一曰大也 [illegible] 臭 臭

[illegible] 蚵 [illegible] 蜥 [illegible] 或作螏 [illegible] 蝷 [illegible] 或作 [illegible] 石 [illegible] 也

[illegible] 人 [illegible] 也 [illegible] 說 [illegible] 十 [illegible] 一曰 [illegible] 也 [illegible]

一 [illegible] 曰 [illegible] 文二十三 [illegible] 舄 [illegible] 說文 [illegible]

跖 [illegible] 蹠 [illegible] 适 [illegible] 潟 [illegible] 也

[illegible] 摭 [illegible] 拓 [illegible] 也 [illegible] 碩 [illegible] 硩 [illegible]

䄷 [illegible] 石 [illegible] 鼫 [illegible] 也

[illegible] 大 [illegible] 石 [illegible] 十 [illegible] 也

栗 [illegible] 柘 [illegible] 說文 [illegible] 也

[illegible] 石 [illegible] 碩 [illegible] 說文 [illegible]

集韻入聲十 十七

[illegible] 澤 [illegible] ○ 繹 [illegible] 說文 [illegible] 𡨋

[illegible] 液 [illegible] 也 [illegible]

[illegible] ○ 亦 [illegible] 說文 [illegible] 也

也 ○ 適 [illegible] 說文 [illegible] 十三 [illegible]

[illegible] 螫 [illegible] 說文 [illegible] 也

[illegible] 借 [illegible] 說文 [illegible] 也

[illegible] 益 [illegible] ○ 益 [illegible] 昔 [illegible]

[illegible] 嗌 [illegible] 說文 [illegible] 也

[illegible] 盩 [illegible] ○ 睪 [illegible] 繹 [illegible] 說文 [illegible]

也 繹 [illegible] 睪 [illegible] 譯 [illegible] 醳 [illegible] 一曰 [illegible]

[illegible] 作也 掖 說文以手持人臂投地也一曰臂下 睪 [illegible] 亦 [illegible]

[illegible] 說文 [illegible] 也 [illegible] 奕 [illegible]

[illegible] 一曰大也 奕 容也自關而西凡美容謂之奕 [illegible]

弈 說文圍棊也引論語不有博弈者乎一曰盛也容也 帟 在上曰帟 懌 說文悅也 斁斁 說文解也引詩服之無斁斁猒
也一曰終也古从攵 射 無射九月律名射出也言陽氣上外陰氣收藏不復出也孔穎達說 譯 說文傳譯四夷之言者 驛 說文置騎也
嶧 說文葛嶧山在東海下引夏書嶧陽孤桐 暘 說文日覆雲暫見也 場 畔也 墿 博雅軌道也 釋𦔨 耕也
或从 燡 災也 圛 說文回行也引尚書曰圛圛升雲半有半無 睪 目明皃 燡爗曎 光也或从火从日 㻡
玉釆 焲焱煬 字林火光也或从三火亦作煬 棭 木名 液洂 說文盡也亦姓或作洂 澤 水名 瘍癦
說文脉瘍也一曰病也或作㾼 易蜴 蟲名說文蜥易蝘蜓守宮也象形或作蜴祕書說日月為易象陰陽也一曰水名亦姓 檡 棘名
擇 闕人名漢有司馬無擇 袶 長衣也 鞨 素鞨履也 熤 闕人名後魏有張熤 澤 水流皃 釋 漬米 糃
禾終畝 偒 交偒也 嚁 川名 夜 縣名 ○ 役伇役 營隻切說文戍邊也古作伇隸省文二十四 疫
瘦 說文民皆疾也或作瘦 役垼坄 說文陶竈窗也或作垼坄 䨜䨟 大雨 蛂 蛂刺蟲名 莈 芟也方言
北燕謂之莈 椴 說文檀欀也一曰燒麥拾殺 鵽鵽 方言秦漢之閒謂鵽鴆小者曰鵽鴆或从隹 豛殺 說文上谷名豬或不

省 𩶅鰕 魚名有四足如龜而行疾或省 鈠鍛殺 小矛或从役从矛 督 視也 炎 火皃 趧 趨趧走皃 ○
瞁覛 呼役切驚視皃或作覛文十 督 眡也 昊 犬視也 毳 寐覺也 𥂁 卵折也 辟 仄也 𦘕
皮骨相離聲 焱 火華也 帀 黍布 ○ 辟僻侵 必益切君也一曰除也亦姓或作僻古作侵文十七 𨐨
辟 說文治也引周書我之不辟或从廾 壁躃 說文人不能行也或从足亦書作躄 髀 弓弭 襞 說文韏衣也徐鍇曰
韏華中辦也衣襞積如辦也 璧 說文瑞玉圜也 鐴 犂耳也 薜 藥艸爾雅薜山蘄即當歸也 鷿 鷿鷉鳥名鳩也
廦 牆也 豶獙 貘邪獸名鳥豕或从犬 繴 給繴罿也 ○ 僻辟薜侵 匹辟切邪也或省亦作薜古作
侵文十 廦 牆也 癖 腹病 闢 爾雅溪闢流川謂通流也 辟 仄也 霹 霹靂迅雷 澼 腸間水 ○ 擗
毗亦切撫也文十八 嬖 死皃 毴 毛也 辟辥侵 說文法也从卩从辛卩節制其辠也从口用法者也古作辥侵 闢閞
說文開也引虞書闢四門或从艸 髀 廣雅髆𩪘髀也一曰弓弭 萆 萆蔍艸名 焷 博雅焷謂之炰 躃 仆也 僻 便僻
舉止輕傷也 繴罼 罿也或作罼 椑 棺也 悂 皃也 榑 柱也 ○ 碧 兵彳切說文石之青美者文一 ○

踑弃役切跛踑屈申皃文一○鵙工役切鳥名伯勞也文一○𠜂令益切𠜂也文三饜饜饍食相箸[illegible]平
[illegible]趚盜行○[illegible]苦席切怖也文二迟曲行也○攫俱碧切搏也或从犬文三玃貜猿類○榑平碧
切櫨也文二[illegible]韋果表車靴○躩虧碧切足皃文一○[illegible][illegible]紀彳切說文繫牛脛或从乞文二○虩
火彳切虩虩恐懼也文一○[illegible]鋪彳切器下平也文一○[illegible]知亦切黏也文一○剔土益切治也文二[illegible]刀解牛聲
○[illegible]七役切舉目使人一曰小動也文二[illegible]小行也○悌第待亦切易也或省文二○鑈奴刺切絡絲具文一
二十三○錫先的切說文銀鉛之閒也一曰與也亦姓文二十七裼說文袒也緆[illegible]說文細布也或从麻啺
唽啺唽鳥聲或从析晳說文人色白也晰明也惁博雅惁惁憂也一曰敬也[illegible]颸颸風聲析棤斦
說文破木也一曰析也亦姓或从片古作斦淅𥻘說文汰米也或作𥻘蜥博雅蜥蜴也菥菥蓂菜名大薺也蜥
蜥說文蜥易也或从虒亦書作蜤蟿蝀蟲名博雅蟿蝀蜓蟹也或省硩擿也周禮硩蔟氏掌覆妖鳥之巢[illegible]髆中
也煬乾皃霢霢霂小雨一曰霰皃蜴楚謂欺慢爲脈蜴婸女名○戚鏚倉歷切說文戉也或从金戚一

曰近也亦姓文十六慽說文憂也或書作慼覙覙覗面柔鼜鼜說文夜戒守鼓四通爲大鼓夜半三通爲戒晨旦明五通爲發
明或作鼜俗作鼜非是䵖䵖顆色敗黑磩硬磩石次玉[illegible]艸名[illegible]蟲名蟾蜍也或書作蠘顣嚬也宿
衞孫文子邑名通作戚傶博雅近也蹙蹙蹙縮小也覾見也䟄皺也○績則歷切說文緝也一曰業也文
九勣功也通作績積木名博雅樭積也積襞也燋持荊然火以灼龜鶺鳥名蟦蟲名積聚也
鶺鶺鴒鳥名鶺鴒也○宗寂誌諔家㴉前歷切說文無人聲或作宗寂誌諔家㴉文十一[illegible]咊
說文嗼也或省覿覿覡說文目赤也一曰遙視皃或作覿亦省○壁必歷切說文垣也文十二廦說文牆也繴鳥罟
爾雅繴謂之罿綼給綼絜也鼊鼊鼊龜屬[illegible]辟邪獸名一曰鳥喙躃博雅躃跛步也䉛肑指節聲或省
[illegible]皮乾聲辟除也鐴犂耳也○霹礔匹歷切霹靂雷之急激者或从石文十四僻辟說文避也引詩
宛如左僻一曰从旁牽或省劈說文破也鈲方言梁益之閒裁木爲器曰鈲澼漂也莊子洴澼絖[illegible]博雅抑也屛說文
从辟也鵧鳥名說文鸊鷉也癖𦢊積病或从肉礔礔礰石聲擗擊也○甓蒲歷切說文瓴甓也引詩

中唐有覽文十五 萆說文雨衣一曰蓑衣一曰萆蘪艸名似烏韭 𦢊𦢊也 裨棺也 嬖博雅嬖嫳極也一曰欲死皃

鷿䴙鳥名說文鷿鷈也或从隹亦書作鸊 箄薄也 擘大指 檗槃也 欂薄柱也亦省 裨裳在幅飾

一曰絲細 辟僻糾擿邪辟也或从人 ○覓眽覔莫狄切說文衺視或作眽覓亦書作覔俗作覔非是文四十二 䵂

黰黰顛色敗黑一曰闇也或从覓 覭微見也 糸幺說文細絲也象束絲之形徐鍇曰一蠶所吐爲忽十忽爲絲糸五忽也或省

縸博雅索也一說荆州謂帆索曰縸 冖冪𦌾幎說文覆也从一下垂也或作冪𦌾幎 幎說文幔也周禮有幎人或書作幂

鼏說文以木橫貫鼎耳而舉之引周禮廟門容大鼏七箇卽易玉鉉大吉也一曰覆鼎者 幦幭說文髹布也引周禮髹車大幦或

作幭 篔笏篔奪帶也 蕒艸名爾雅菥蕒大薺 塓塗也春秋傳塓館宮室 汨溟說文長沙汨羅淵屈原所沈之水或

作㵋 㵋水淺皃通作溟 䮭馬齧謂之䮭一曰馬驀視 𧳟白豕黑頭謂之𧳟 虩虩說文白虎也或从冃省 蟔蟲名博雅

蟔蝇蠠也 幭篾車覆式也詩鞹鞃淺幭或作篾 霢霢霂小雨 幎博雅覆也 冥以繩縻取禽獸之名周官有冥氏鄭

康成說 熐醎䤉熐蟊乾酪或作醎亦从鼏 煩夷人聚落謂之煩 䒽艸名 趙趙趫狂走皃 眽眽蝪

欺慢也楚人語 鷶鳥鸐視 蓂虛无也或引禮合莫 溟溟溟雨小皃 ○旳的𦝙丁歷切說文明也引易爲的顙

或作的𦝙文四十五 肑膂也 怕博雅怒也一曰痛也 㓵斷也 扚擊也引也 𨓜弔說文至也或省 適親也

嫡說文嫣也 蹢豴蹢也或从豕 馰說文馬白額也一曰駿也引易爲馰顙通作的 袀襌衣 靮繮也 鼩鼠名

鷉說文雉屬鷞鳥也 玓說文玓瓅明珠色 𥕐䃤矵博雅䃤也或从適从勺一曰水䃤番車 甋瓴甋謂之甓

弔射質也或省通作的 鏑說文矢鏠也通作鍉 黶博雅龍須謂之黶一曰婦人面飾一曰黑子著面 滴適說文

水注也或从適 魡罒繫魚也或作罒 焯說文望火皃 樀樀說文戶樀也引爾雅檐謂之樀一曰機上卷絲器或从適

𣂷斗量器 杓禾穗垂皃 菂芍芙蕖中子或省通作的 擿扻也䃤也 杓物之標准通作㪺 葯纏也 墒

階謂之墒 啇本也 讁罰也 鍉噬器 ○逖逷狄他歷切說文遠也引詩舍爾介逖古从易或省文四十二 歒歒

小人喜笑皃 趯趯趯狂走 趯逷趯趯跳也或从辵 踢趹踢獸名左右有首 俶倜俶儻卓異也或作倜 惕

悐惕愓說文敬也或从狄亦作惕愓古書作悬 謫詆僻也一曰狡獪或省 䁦說文失意視也 覿覿目赤一曰

滌 [illegible] 滴 [illegible] 覿 [illegible] 覿 [illegible]

[illegible] 趯 [illegible] 䠟 [illegible] 儆 [illegible] 個 [illegible] 裼

商 [illegible] 鏑 [illegible] ○ 逖 [illegible] 狄 [illegible] 敵

商 [illegible] 杓 [illegible] 嫡 [illegible] 樀 [illegible] 杓 [illegible] 蹢

[illegible] 邁 [illegible] 宨 [illegible] 樀 [illegible] 適

匀 [illegible] 鍉 [illegible] 滴 [illegible] 滴

謫 [illegible] 甴 [illegible] 蹢 [illegible] 適

謫 [illegible] 適 [illegible] 滴 [illegible] 敵 [illegible]

[illegible] 的 [illegible] 芍 [illegible] 汋 [illegible] 迪 [illegible] 適

[illegible] 馰 [illegible] 莫 [illegible] 漠 [illegible] ○ 的 [illegible] 旳 [illegible]

[illegible] 酊 [illegible] 湨 [illegible] 鶪 [illegible] 䴗

[illegible] 䴉 [illegible] 宎 [illegible] 冥 [illegible] 冥

[illegible] 瀉 [illegible] 覓 [illegible] 覓 [illegible] 甴 [illegible] 覓

[illegible] 䁀 [illegible] 泊 [illegible] 漠 [illegible]

[illegible] 辟 [illegible] 幎 [illegible]

[illegible] 覓 [illegible] 丁 [illegible] 冪 [illegible] 冥

[illegible] 覓 [illegible] 糸 [illegible] 幺 [illegible]

[illegible] 辟 [illegible] ○ 覓 [illegible] 脈 [illegible] 覓 [illegible]

[illegible] 覓 [illegible] 鞮 [illegible] 幦 [illegible] 幦 [illegible] 幦

[illegible] 革 [illegible] 汨 [illegible] 榠 [illegible] 辟 [illegible]

逺視或作覿䯧說文骨間黃汁也焬望火皃蓨苖艸名蓨也或作苖籊竹長殺皃詩籊籊竹竿

剔𠠝肆解也古作𠠝或作肆鬄說文鬄髮也擿𢶓擲挑也或作𢶓擲崵山名鶍

鍚鐊也或作鍚騞解牛聲莊子奏刀騞然向秀讀適適適然驚皃揥戲也取也嬥嬥嬥好也𥟍離而種之

曰摘實思䰦說摘說文拓果樹實也一曰指近之禘福也𣣽痛也○狄亭歷切說文赤狄本犬種狄之爲言淫辟也亦姓文五

十六敵適說文仇也或作適邮說文左馮翊高陵踧踧踧平易也詩踧踧周道迪說文道也𢓌說文行𢓌𢓌也

頔好也覿覿覡爾雅見也或作覿覡潪土水和也糴籴說文市穀也亦姓或省𣤽痛也樀

福也𪎩麥屑潟滷鹹地或作滷糴𥠉穀名或从禾滌說文洒也遷博雅遷遷走也从迪笛羌笛

篴樂器說文七孔筩也羌笛三孔或作篴籊竹竿皃梑木名藡荻艸名萑也或从狄𤏳光皃苖

艸名說文蓨也蔋蔋說文艸旱盡也引詩蔋蔋山川或作蔋摘至也一曰卷絲具犞𤠮博雅犞特雄也或从犬

大𡓔堞也翟鸐說文山雉尾長者亦姓或从鳥𦆜綵色𩹉馬𩹉魚名出東海逐浟遠也周易其欲

逐逐或作浟儥買也儵儵儵罹禍毒也妯爾雅動也方言擾也齊宋曰妯仢橋也一曰流星咷嗷咷楚歌服虔說

仢說文約也嚁聲也𪉟鹹也蓧莜盛種於器謂之蓧或省櫂楚宋謂梡星櫂一曰木枝直上皃婥女病

䅥種也○秝狼狄切說文稀疏適也文一百三十七厤說文治也𠩺分也歷𣦢說文過也古作𣦢

曆說文曆象也通作歷䬆颲颲風聲靂霹靂也𦢊𦢊脹強脂也癧𤺧㾖癧病也或作𤺧

𦗵明也𥌴𥌴𥌴目明嚦嚦嚦聲也𪘐𪘐齒病或省𥌾目覽視𡳐說文履下也𧽒𧽒

𢕌𢔶行皃或作𢕌𢔶趮躒說文動也或作躒𨇅足所經踐𨞚麗說文南陽縣或省亦姓酈

𨞓地名或从曆寥𡫵寂寥無人也或从歷𩙜颲𩙜俶也褢𧝑急纏也或作𧝑𠝳劙也𥗑

礰說文石聲也或作礰𪑩黑皃礫硌磟珞說文小石也一曰石皃或作硌磟珞𤫽說文玉也瓅說文玓瓅𦆽

治絲也皪的皪白皃𤿢或从歷𠞰㔏割也或省鬲䰛𤮍鎘䰙𩰡𩰤鑠

鬲弼說文鼎屬實五觳斗二升曰觳象腹交文三足或作䰛𤮍鎘䰙𩰡𩰤鑠鬲古作弼象孰飪五味气上出𩪔骨病壢歷

坑也或省𤃾牀簀讈𧭦謈讈言不明或省䣓醿說文酳也或从歷醨醹醶酪也櫟雜也攦

攊博雅擊手也或从麗从歷轢轣䡿說文車所踐也或作轣䡿通作櫟櫪說文櫪㯕椑指也䑩船也趯

䵒䶛鼓聲䮥馬色𦍧羖羊山羊或省獵獡𤢢獵獸名或作獵獡亦省蠣野蠶鷅鳥名似鷹

而大也𦌆𦌆冪𦌆煙皃或从日鬲𩸠魚名博雅亂也或从歷从樂鼶鼠名𧑯蟲名似蝗細長者

䰜鬼名爏𤒻火皃或省𡾯谷名瀝瀝說文浚也一曰水下滴瀝或作瀝靂霹靂靂雨不止皃或省

灤貫衆艸名瀝瀝瀝瀝寒皃𤄷木障也𥷑穿也藶艸名說文夫離上也𧆘艸木疏皃藶葶藶艸名

蘼水艸櫟說文木也一曰縣名𤃱𡏼瀝欲死皃閺殺也𡽩大也漻變化皃莊子油然漻然李軌讀

轢橈也漢書轢釜𥨍博雅藏也㰅養馬器通作櫪觻獸角鋒曰觻扚接也𩧯駭騄皃㤝心所

䁐星皃也䦌開也䋩繩為界埒也聽耳審聞𪕉鼻別臭也𢾊亂也嫠女字也趯近也

厤以爪擇物也壢積也厤𥖬小劣也𤪮玉名也𤩐閼人名䉂竹大約刀為䉂○惄

飠乃歷切說文飢餓也一曰憂也引詩惄如調飢或作𠊧文九𢙮恕說文憂皃或作惄亦書作𢟪休溺說文沒也或作溺

𥼶粉餌熟曰𥼶坙水土相和也嫋弱也○𢶏刑狄切說文二尺書文十三鶪鳥名𣪠說文穜𣪠也一曰燒

麥秴𣪠也𦯋爾雅的䓪蓮實也覡𣪝說文能齋肅事神明也在男曰覡在女曰巫或作𣪝觳端角也𧿸

狼子鶂鷊鼠名狀如鼠在樹木上或作鷊𦦻斛注謂之𦦻𣪗𥎦予屬長殺謂之𦦻勃盧或作𥎦○閲䛩

聲激切說文頃訟也引詩兄弟閱于牆从門从兒兒善訟者也或作䛩文十八謚歖笑聲或作歖𪖙去涕也瀾瀾沐㤝㦽

也通作悇轂說文且唾聲一曰小皃𩿈䤔屬焃赤也赫也䘏卯坼不成曰䘏砉砉然皮骨相離聲李軌說憪虩

赤紙䄊殺矜博雅矛也或作殺矜悇心不自安謂之悇焱火華憪㥏也○喫嚽噭詰歷

切說文食也或作嚽噭文十三𢿥勅也憝鬩勤苦用力曰𣪠擊旁擊也𤑒博雅曝也鐓吹器㵸

覆笭也禮君羔𧟝𣿜漂也莊子洴澼絖李軌讀𥎛矛也或从兮○激吉歷切說文礙衮疾波也一曰半遮也亦

姓淮南傳有激章文二十𦠿也裘求裘𩍏回陀敫歌也𣪠說文相擊中也如車相擊故从殳从𡉚䁯目不瞬擊

擻隔說文攴也或作擻古作隔轚說文車轄相轚擊也引周禮舟輿轚互者約纆也墼說文瓴適也一曰未燒也
獥獸名爾雅狼其子獥鷘鳥名爾雅鷘鷉鸍似鳥蒼白色薂說文艸也芺弓蔌噭聲之激也春秋傳噭然而哭
鐓吹器憿疾也或書作懋譤許也○鶂鷊䳺鷁倪歷切說文鳥也引春秋傳六鷁退飛或从鬲从赤从益文十
二霓雌虹艗榏䑑艗首舟也或从木从兒鷊虉䴠說文綬也引詩邛有旨鷊或作虉亦从鶂𡰯
說文石地惡也○闃苦臭切靜也文三踑踞也砉砉然皮骨相離聲○狊扃闃切說文犬視皃爾雅鳥曰狊張兩翅也文
十鼳獸名爾雅鼳身長須而賊秦人謂之小驢一曰鼠名今江東山中有狀如鼠而大蒼色郭璞說犑牛屬鶪雎鴃
鳥名說文伯勞也或从隹亦作鴃湨水名在河內郹說文蔡邑也引春秋傳郹陽封人之女奔之𠜾也𠊱黜也○
殈呼臭切鳥卵裂也禮卵生者不殈文十三䘏艸名洫水名在魚陽芍陂名𣪠殺矛屬或作殺狊犬視
焱火華謂之焱砉皮骨相離聲幦車覆笭春秋傳以幦為席𥁃山名漢書𥁃町山出銀鉛在益州郡瞁𥈠
視也或作𥈠○棟㯃霜狄切木名爾雅棟赤棟或作㯃文二○馘況壁切面也莊子槁項黃馘文二洫深意郭象曰走

郗信

而愈洫○棫于狊切木名白桵也文一
二十四○職軄質力切說文記微也一曰主也業也或从身文二十一戠說文闕織𥿮𦁐𢧃
𢦏說文作布帛之總名也樂浪挈令从糸从式徐鍇曰挈令蓋律令之書也或作𦁐古作𢧃𢦏膱脯脡也長尺有寸樴說文弋也
通作職𩦎騃掂也蘵䕭𦸋艸名爾雅蘵黃蒢葉似酸漿華小而白或作䕭亦省蟙蚮蟙螺蟲名蝙蝠
也或从式埴黏土也昵䐈𣸈粘也周禮凡昵之類不能方或作䐈通作職𡢈女字○識𧦝設職切說
文常也一曰知也亦姓古作𧦝或書作戠文十七試用也通作式飾餝說文㕞也一曰襐飾或作餝䁒目所記也式說文
法也亦姓軾說文車前也拭𢂑爾雅清也或从巾䋰織已經未緯也鉽鼎屬𥨏竊盜挾藏謂之𥨏䕭
苦蘵艸名即苦蔘蚮蟙螺蟲名仙鼠也烒火皃栻木局也有天地所以推陰陽占吉凶以楓子棗心為之通作式○瀷
弋力切水出大隗山南入潁一曰水潦文二潩水出河南密縣東入潁○寔丞職切說文止也一曰是也文十七遈行也湜
𣹷說文水清底見也引詩湜湜其止或从寔殖說文脂膏久殖也一曰種也一曰興生財利曰殖埴𡍳𡎐說文黏土也或

作埴戠稙說文早種也引詩稙稚尗麥植櫂說文戶植也一曰樹立也或从置殖多也䈚笙也葥藥艸

淔水名禃專一也値措置○食𩚃實職切說文一米也古作𩚃亦姓文五䖸蝕𤸱說文敗創

也或省亦从疒○側札色切說文旁也文十八仄𠩓𠨬廁夨說文側傾也从人在厂下或从吳籀从夨亦作廁

說文傾頭也从大象形𠩁昊昃稷說文日在西方時側也引易日𠩁之離或作昊昃稷葥艸名說文烏喙也一曰附子一

歲者稫稫稷禾密皃𥟌禾束也𢱉打也通作揤鴚鳥名汄汄湢汄水流皃或省崱山連皃○

色𩏷殺測切說文顏色也古作𩏷文二十二䡡博雅軫䡡轉戾也嗇嗇嗇𠻸𠎧說文愛濇也从

來从㐭來者㐭而藏之故田夫謂之嗇夫古作嗇嗇隸省亦作𠎧穡說文穀可收田穡薔艸名說文薔虞蓼𣤿恐懼也春秋傳𣤿然

而駭懎恨也𠡣助也𩔻頰也䉢飾也𧐙蟲名轖𩌶說文車籍交錯也一曰重革之蔽所以覆軨也或从革

繬博雅纏也𠟊刺也濇不滑也嬙女字○測察色切說文深所至也文九𥢋禾稠皃溭溭減水皃

惻說文痛也或書作𢙢畟稷說文治稼畟畟進也引詩畟畟良耜或从禾𡊄說文過遮也𦵼艸名廁側也

莊子廁足而墊之○崱實側切崱屴山大皃文六𡼩𡷥𡷥嶷山峻皃或省溭溭減奔湍萴藥艸博雅附子

一歲曰萴子揤支也○息𧩴悉即切說文喘也一曰止也生也古作𧩴文十三𩞾博雅息也方言周鄭宋沛閒曰𩞾瘜

𦢊說文寄肉也或从肉熄說文畜火也一曰滅火葸菲葸菜名生下溼地似蕪菁可食郭璞說楒說文木名鄎說文

姬姓之國在淮北今汝南新息𨼬地名篒䈬篒竹器鵖鳥食𣺙水皃○即卽節力切說文即食也一曰就也亦

姓隸作即文二十六𦛗𦛗膱膏澤也唧啾唧多聲揤說文捽也魏郡有揤裴侯國一曰拭也𨁈蹙也堲㷤

燒土周棺也或从火通作即畟𦓾𠞰畟畟耜利也或从耒从刀稷䅏䄸說文齋也五穀之長亦姓或作䅏䄸𤌣燭燼

楖說文細理木也𤛱牛名犪也𤠙犬生三子曰𤠙鵖鵖鴔鳥名䳄渠也或書作鷍鯽魚名蝍蠀蟲名爾雅

蒺莉蝍蛆似蝗食蛇腦或作蠀櫻木名櫛也艮理也禝堯臣能播五穀有功於民祀之通作稷𠋧小也○堲即

疾力切疾也書朕堲讒說或省文八垐以土增道揤打也𠻊歶錯喉或作歶蒺蒺藜艸名崱山皃○陟

儥𠊗隲徏徝竹力切說文登也或作儥𠊗隲徏徝文十二稙早種也𢿭痛也膱肥也捗打也

㥛 僁 讔 德 湢 文十二 也或作 植 早種也 遍 覻 也 𥃠 作陟

堲 說文疾也書曰朕堲讒說殄行或省文八 疾力切 塱 以土增道 𡋯 㚼 及 叚 作 說文 味也 𩞄 菽 蝍 蝍蛆名 或作 𧕋 也 蝍 ○ 蠀

食 蝍 蛆 蛆名 𧐖 或作 𧑗 蝍 皇 蝍 䖧 也 理 𦌪 𦍳 於 良 羅 文 逭 作 𦌤 𦌬 竹 名 𩟁 也 ○ 堲

𥞏 木理 說文 木名 𥞑 也 穆 理 𥞑 名 𥞏 三 十 日 穛 大 𢈙 鶺 名 𩟏 也 𧓍 乞 鳥 名 蠀 蟦 書 作 𦎛 名 𧕋 蝍 名

以 禝 火 土 周 禝 作 疋 也 或 作 𥝩 𥞏 𥞑 𥞏 或 从 禾 从 刀 𥝩 禾 相 也 𦌪 朗 秫 𥞟 𦌵 𧓍 亦 姓 或 作 𨤲 說 文 䊫 也 从 𤓬 𠙯 𥞟

文 姓 二 籀 十 作 六 𠱏 即 滒 也 淢 澤 膏 脈 即 鹹 名 瞨 𠱏 蚚 說 即 𣘩 即 也 𠱏 日 一 𥊻 鵖 也 𧕋 有 晉 𠀷 既 也 𧕋 堲

姓 妒 令 婎 汝 在 南 圖 新 息 淮 名 地 𢥞 息 𢥞 𧔞 𧓍 食 也 𧖏 𡰥 ○ 息 水 即 鼻 一 日 食 也 說 文 方 也 亦 作 𠱏

息 說 文 喘 也 从 心 从 自 自 亦 聲 一 曰 休 也 𢥞 也 文 熄 一 說 日 文 滅 畜 火 也 𢥞 葸 𢥞 或 𩄤 非 無 善 可 食 菜 名 生 下 濕 地 𢥞 息 木 名 說 文 𣞒

顗 𡉏 𡉏 一 曰 𢥞 揳 也 文 ○ 𢥞 𢥞 說 文 一 𢖾 也 𢥞 或 作 古 作 𢥞 也 說 文 十 三 𢥞 𢥞 𢥞 𢥞 上 𢥞 𩢨 𢥞 博 雅 木 名 鮝 𡩞 也 𧕋 古 書 日 𤭙 鮑

𥝩 𢥞 瑇 𣸮 𠧉 ○ 𡋯 山 大 貌 文 六 𧕋 𢥞 說 文 𡋯 𢥞 𡋯 𡋯 𡋯 或 省 𢥞 山 𡋯 𥝩 𢥞 本 𢥞 𥝩 𢥞 茗 𢥞 𢥞 𧕋 作 𥝩

𥝩 𥝩 𥝩 作 六 𠖥 𥝩

𠊎 𢥞 書 作 𥝩 說 文 編 也 𥝩 𥝩 𥝩 𥝩 說 文 治 稼 畟 畟 進 也 𥝩 𥝩 耒 入 也 𥝩 𥝩 𥝩 說 文 𥝩 也 𥝩 𥝩 名 𥝩 𥝩 𥝩 𥝩 𥝩 水 貌 𥝩 𥝩

𥝩 𥝩 𥝩 博 雅 也 𥝩 刺 也 𥝩 不 滑 𥝩 𥝩 字 ○ 測 所 𥝩 切 說 文 深 所 至 也 文 九 𥝩 𥝩 貌 木 𥝩 𥝩 𥝩 水 貌 𥝩 𥝩

𥝩 𥝩 𥝩 𥝩 也 𥝩 𥝩 𥝩 𥝩 𥝩 𥝩 也 𥝩 𥝩 𥝩 名 𥝩 𥝩 𥝩 𥝩 𥝩 𥝩 說 文 車 𥝩 交 𥝩 𥝩 也 一 曰 車 革 𥝩 或 从 革

𥝩 𥝩 來 𥝩 从 𥝩 古 𥝩 作 来 𥝩 𥝩 𥝩 𥝩 藏 𥝩 亦 作 𥝩 故 田 夫 謂 之 嗇 夫 𥝩 說 文 𥝩 𥝩 可 收 𥝩 𥝩 𥝩 說 文 𥝩 𥝩 𥝩 𥝩 𥝩 也 𥝩 𥝩

色 𥝩 古 作 𥝩 說 文 顏 气 也 文 二 十 二 𥝩 博 雅 𥝩 也 𥝩 𥝩 𥝩 𥝩 𥝩 說 文 𥝩

𥝩 𥝩 𥝩 貌 𥝩 𥝩 𥝩 𥝩 𥝩 也 𥝩 𥝩 𥝩 𥝩 也 𥝩 𥝩 貌 𥝩 𥝩 𥝩 𥝩 貌 山 𥝩 ○ 𥝩

从 說 文 大 象 頭 頃 也 𥝩 𥝩 𥝩 𥝩 曰 𥝩 𥝩 𥝩 𥝩 說 文 日 在 西 方 時 側 也 引 𥝩 一 曰 㕚 𥝩 𥝩 𥝩 說 文 𥝩 𥝩

亦 从 𥝩 也 或 省 ○ 側 札 色 切 說 文 旁 也 文 十 八 仄 𥝩 𥝩 𥝩 或 从 𥝩 𥝩 說 文 側 傾 也 从 人 在 厂 下 𥝩

𥝩 名 水 也 𥝩 𥝩 事 一 也 𥝩 𥝩 ○ 𥝩 𥝩 𥝩 古 作 𥝩 亦 𥝩 𥝩 文 𥝩 實 𥝩 切 說 文 一 米 也 𥝩 𥝩 𥝩 𥝩 𥝩 𥝩

或 作 植 𥝩 說 文 早 種 也 引 植 𥝩 𥝩 𥝩 說 文 𥝩 立 也 或 从 𥝩 一 曰 直 𥝩 也 𥝩 𥝩 𥝩

臸到也眲耳目不相順也○敕勅勑蓄力切說文誡也臿地曰敕从攴束聲古从力或作勑本音賚世以爲敕字行之久矣文
十九飭飾說文致堅也一曰戒也或作飾侙恜說文惕也引春秋國語於其心侙然或从心遫博雅張也一曰開也
通作慗慗從也趩⿰足異說文行聲也一曰不行皃或从足栻博雅曲道栻梮也淔說文水也一曰出潁川一曰艸名
鷘鳿鸂鷘水鳥毛有五色或作鳿⿱艹直艸名似冬藍味酢式古文也古者大出師則大史主抱式鉽飾也瀷
水湊急也○直⿱𠙻木⿱⿴囗㐅木逐力切說文正見也亦姓古作⿱𠙻木⿱⿴囗㐅木文九⿰山直山皃犆𢄍緣也禮羔幦虎犆或从巾植
立也詩植我鼗鼓膱肥也值措置也○力六直切說文筋也象人筋之形治功曰力能圉大災亦姓文十九仂勤也一曰
稅什一也⿰危力行脛相交也⿰棘力趙魏之間謂棘曰⿰棘力朸木名屬平夃一曰屋隅亦姓屴屴崱山連皃泐水石理也⿰豸力
犬名出遼東⿰鳥力鳥名小鳧也一曰鶇別名犳犬爭皃扐縛也關中語赲赲趩行皃來⿰禾來⿺走來⿺走⿰來來來年
麥也或作⿰禾來⿺走來⿺走⿰來來⿱艹去去皃棘木名野棗酸者江南山東曰棘子蝕谷名在杜南○匿昵力切說文亡也一曰微也一曰朔
而月見東方曰側匿文十一⿰齒匿齒疾也⿰黍匿黏也蠠⿰匚虫⿸匚⿱若虫蟲名博雅蠠螚䘅也或作⿰匚虫⿸匚⿱若虫慝㥾愧也
大一十六小七廿二

方言梁中曰慝或作㥾⿰魚匿魚名似鯇而小嫟女字慝隱情飾非曰慝○弋逸織切說文橜也象折木衺銳著形从丿象物
挂之也亦姓文四十八杙樴職說文劉劉杙或作樴職隿說文繳射飛鳥也𩙺翼⿰我弋⿰糸羽說文翄也
篆作翼或作⿰我弋⿰糸羽翼一曰輔也盛也又國名亦姓⿰弋鳥鳥名翊說文飛皃一曰輔也一曰馮翊郡名翌爾雅明也廙庂說文
行屋也或作庂忕心動也⿺走翼⿺辶翼說文趨進⿺走翼如也或从辵代行也⿰氵⿱弋月肥澤也⿸疒翼病也⿱弋月⿰骨弋
⿱弋月盆骨也或作骨妋說文婦官也熼火皃酨說文酒色也𧒽蟲名釴爾雅鼎附耳外謂之釴⿸厂異不利也
⿷匚異⿷匚翼說文田器也或从翼𦔙博雅𦔙𦔙耕也𥡴稷蕃蕪皃或作稷⿰麥弋秇麥𪍘也或从禾⿱艹翼⿱艹異
艸名蘱翹也或省芅銚芅艸名羊桃也通作弋潩說文水出河南密縣大隗山南入潁黓黑也爾雅太歲在壬曰玄黓虞
闕人名魏有荀虞翌舞名蛡蜂䗉也太玄蠉其蛡一曰蟲行皃瀷說文水出河南密縣東入潁熼闕人名後魏有張熼
⿱竹弋竹索衼黑衣也⿰弋瓦瓦坏也○殛極訖力切說文殊也引虞書殛鯀于羽山或作極文三十三亟蒚𥁕
說文敏疾也从人从口从又从二二天地也徐鍇曰承天之時因地之利口謀之手執之時不可失疾也或作蒚𥁕⿰目亟張目也茍⿱艹茍說文自急

集韻入聲十　二十五

埴 職 敕 勅 飭 ○ 寔 湜 殖 植 稙 值 軄 識

直 㮵 值 植 殖 ○ 力 朸 仂 㓼 防 扐

來 棘 極 ○ 匿 慝 㥾 ○ 弋 杙 ○ 翼 潩 冀 異

㦾 域 罭 棫 緎 黓 稷 ○ 嶷 億 抑 意 薏 ○ 蜮 惑 閾 淢

黑 ○ 默 墨 纆 ○ 𡍮 ○ 國 幗 虢 馘 ○ 克 剋 尅

敕也从羊省从包从口口猶慎言也古作蒿 鞕革說文急也或作革 愜說文疾也 悈博雅憧也通作愜 䔷去也 璙

球垂璙地名字本作棘以其出美玉故从玉或謂玉曰垂璙亦省通作棘棘 襋極說文衣領也引詩要之襋之或作極 棘棘

朿說文小朿叢生者又姓或作棘棘亦省 覾說文繫也脛牛 諔訥言也 蕀艸名爾雅髭顛蕀細葉有刺蔓或謂之女木 瞿

瞿瞿居喪視不審皃 𩍐博雅羈𩍐勒也 㔓力也 𡾊山名 𦏧羊名 棘僰縣名或从人 麥來牟也 諽

愅飾也謹也更也或从心 ○赩迄力切說文大赤也文十一 㥛怒也 黓青黑色曰黓 歞說文悲意 覤覤覤驚懼

皃 畫說文傷痛也引周書民罔不畫傷心 𡚷博雅𡚷𡚷肥也 𩒰𩑾或省 赦笑聲謂之赦 𩣡馬走

○億𠊎億意乙力切說文安也一曰度也辭也或作𠊎億意文三十二 𥁄說文快也 憶思也 薏

意說文滿也一曰十萬曰意籀作意 肊臆𩪿𩪿說文𩨨骨也或作臆𩪿𩪿 繶博雅繶絇條也 幩幩也

抑抑說文按也从反印或从手隸作抑 𡋯邑名 癔病也 醷釀醴酏為醬也 澺澺說文水出汝南上蔡黑閭澗

入汝隸作澺 薏薏艸名說文薏苢一曰蓍英或作薏 檍檍木名說文杶也或从意 檍說文梓屬大者可為棺椁小者

可為弓材 螠𧑗蟲名博雅螠螠也或作𧑗 噫語辭通作億抑 䭇䭇首數也通作億意 ○極竭億切說文棟也一曰中也

至也文五 殛死也 革亟急也或作亟 㧓漢侯國名 ○嶷嶷儗譺鄂力切說文小兒有知也引詩克岐克嶷

或从山或从心从言文七 薿茂也 觺觺觺角皃 疑正立皃 ○鞕鞕乞力切韋堅也或从韋文六 𩍐馬勒

緙紩也 諽愅飾也謹也更也或从心 ○或域阈䤋罭越逼切說文邦也从口从戈以守一一名也或从土

从𠂤古作𢧢𩃲文二十八 𦵔艸木叢生通作棫 淢說文疾流也 罭罔也 棫木名說文白桵也 𧾷疾皃 惐惻惐

傷痛也 蜮蟈蟲名說文短狐也似鼈三足以气射害人一曰蝦蟇也或从國 䳼鳥名博雅䳼鷗戴勝也 𡗿字林大力皃 鋮

說文瓦器也 𤥁關人名漢有公孫𤥁 黬緎𩋹羬說文羔裘之縫或从糸从革从羊 駥騙駥馬走皃 閾閾

說文門榍也引論語行不履閾古从洫 魊鬼名 𣻇說文水流也 𥮜竹叢生 𦐇飛也 ○洫淢忽域切說文十里為

成成閒廣八尺謂之洫引論語盡力于溝洫或作淢文三十二 㰲吹也 䞝盜走 𩂯說文水流也 侐䦧說文靜也引詩閟宮有侐

或从門 閾閾門榍也古作閾 黬緎𩋹縫也或从糸从革 䳼鳥名 𧍞殘裂也 瞁舉目使人也

集韻 入聲十 二十六

[illegible] 棘 [illegible] 革 [illegible]

[illegible] 棘 [illegible] 𣗥 [illegible]

[illegible] 朿 [illegible] 說文 [illegible] 棘 [illegible]

[illegible] 𡸣 [illegible] 說文 [illegible]

[illegible] 悳 [illegible] 說文 [illegible]

[illegible] 意 [illegible] 說文 [illegible] 億 [illegible]

○ 億 [illegible] 意 [illegible] 文三十二 [illegible]

[illegible] 臆 [illegible] 說文 [illegible]

[illegible] 抑 [illegible] 說文 [illegible]

[illegible] 薏 [illegible] 說文 [illegible] 檍 [illegible] 木名 [illegible]

[illegible] 域 [illegible] 說文 [illegible]

[illegible] 緎 [illegible] 說文 [illegible]

[illegible] 棫 [illegible] 說文 [illegible]

[illegible] 罭 [illegible] 說文 [illegible]

[illegible] 淢 [illegible] 說文 [illegible]

[illegible] 閾 [illegible] 說文 [illegible]

𤸃說文頭痛也 䘌火光也 𡙇博雅方也一曰大也 䆳風聲䆳然迸 𧹛赭色 殈卵破也禮卵生者不殈徐邈讀

睸睢目皃 䮷騙䮷馬走 䱛魚名 罭魚罔 䫻風皃 掝裂聲 䎀鳥飛聲 𧗒痛傷也 惐心惑也

𠿇聲也或从叟 ○堛拍逼切說文凷也文二十一 畐說文滿也从高省象高厚之形或作偪 陑

地裂謂之陕或作偪 畐畐多也 稫稫稜禾密皃 𥢧治黍禾豆下潰葉也 䭅飽皃 副疈偪罷說文判也引周

禮副辜祭籀作疈或作偪罷 愊說文誠志也 踾踾踧聲 楅所以皮矢也 揊敲扑擊聲或作敲扑也 馥香

葍艸名 ○逼偪筆力切爾雅迫也或作偪文十八 皕說文二百也 楅說文以木有所逼束也引詩夏而楅衡 幅

行縢也春秋傳帶裳幅舃 騙騙䮷馬走 鶝鳥名似鵲 湢湢汳水瀄湧皃 䫾䫺風也或作䫺 囟閉也亦姓 皀粒也 堛

塊也 畐畐多也 踾踾踧行迫也 𥞩粘也 稫蹂禾下葉 𨋶車笭間皮篋 ○愎弼力切戾也文二十 𥝊 糒

煏𤏡說文以火乾肉或作糒煏𤏡 𥢧治黍禾豆也 稫或从禾 𧼜走也 踾踏也 鶝鳥名 腷服腷臆意不

泄皃或作服 牑版也坿也 馥香也 䬍風也 𨽁地名在蜀 僰或从人 𨻰山陊 覆賊稱 愊誠也 ○窨

大一二十七 小六八十

集韻入聲十 二十七 正

密逼切暫視也文一 ○𣭝丁力切毛少也文二 得得滴水少 ○日而力切太陽精也李舟說文三 𦕢到也 䎣耳目不相信

二十五 ○德的則切說文外也一曰行之得也文十三 悳𢛳說文外得於人內得於已也古作𢛳通作德 𨁂𨁂𨁂行皃

𦅾約也 𦦖取也 得㝵䙷得說文行有所得也古省或作䙷得 淂水皃一曰水名 陟得也周禮陟夢言夢之所

得 𤺅病也 ○忒𢗩惕德切說文更也文十三 忒說文失常也 脦肋脦不正容止也 蟘蟲名博雅蟱蟒蟘也 㥁心懼

貣貸說文从人求物也或作貸 䁂聽瞀目欲臥皃 㝵擊也挨也 匿朔而月見東方曰側匿 慝慙也 𢘓慝

惡也或作弍通作匿 ○特犆㸨敵德切說文朴特牛父也一曰獨也或作犆㸨文十五 貣貸从人求物也或作貸 蟘

蟘蟘螣說文蟲食苗葉者吏乞貸則生蟘引詩去其螟蟘或作蟘螣 職樴杙杙也周官有職人戚袠讀或从木从貳通

作㯖 蟘關中謂蛇蠆毒曰蟘或書作蚮 𣙙木名 鴏鴨屬 ○勒歷德切說文馬頭絡銜也一說馬轡有銜曰勒無曰羈一曰刋也文

十四 肋說文脅骨也 扐說文易筮再扐而後卦一曰指間也通作芀 仂什一也禮祭用數之仂 𠦃說文材十人也 芀

蘿芀菜名 竻竹根 朸說文木之理也平原有朸縣 阞說文地理也 泐說文水石之理也引周禮石有時而泐 墊

玏說文玪塾也謂石之次玉者或省亦書作塾 朸廣雅力也 汸水聲 ○𧕫螚匿德切蟲名兔缺也一曰小蟲或省
文五 𣉻埃𣉻無光也 𥟇穀穢也 𦓳䊮耤艸生皃 ○北𧊵必墨切說文𧊵也从二人相背一曰朔也古作𧊵文三
𧊵蟹四足者曰𧊵 ○菔蔔鼻墨切菜名說文蘆菔似蕪菁實如小尗者或作蔔文二十五 憊困也 僃趙魏謂犮曰僃
𢪃擊也 匐𠣾伏服𧿳說文伏地也或作𠣾伏服𧿳 菩艸名 踣䞳仆掊㨖𧿒說文
僵也引春秋傳晉人踣之或从走亦作仆掊𧿒 僰說文犍為蠻夷 䙺方言農夫之醜稱博雅僐䙺醜也 垘土壅曰垘 䋿說文
治黍禾豆下潰葉 培重也莊子而後乃今培風 蝮蝮蜪蟲名蝝也 煏火乾也 茯茯苓藥艸 ○墨密北切說文書墨也
亦姓一曰度名五尺曰墨文二十五 默說文犬暫逐人也 嘿歎靜也或从欠通作默 嚜博雅嚜杘欺也 䁇䁇賽視無所見
𥋷聽𥋷目欲卧皃一曰驚也 冒干也 覓突前也 𥈻暫視也 嫼𡠐怒也或不省 纆𦆴說文索也
或从墨 䘃䘃蟔水蟲 蟔蟲名齊人呼蝠為蟙蟔 蠌蟲名爾雅蟔蛅蟴蟙屬通作蠌 万寋万俟虜姓或作寋 𦩘
艒小舟或作䑢 爅火皃 ○寋塞𡫳悉則切說文窒也从㠭从廾窒宀中㠭猶齊也亦姓或作塞塞文七 賽䁇賽

大四卅 少七〇十二 集韻入聲十 二十八 世安

視無見也 𡫳寒𡫳說文實也引虞書剛而塞古作𡫳寨 ○𡏅七則切階級也文一 ○則𠟭𠟮𠟱
即得切說文等畫物也从刀从貝貝古之物貨也一曰法也古作𠟭𠟮籒从鼎文四 ○戝賊疾則切說文敗也从戈則聲隸作賊文十一
𣹟博雅泄𣹟測也 鰂鱡鯽說文烏鰂魚名或从賊从即 蠈蝍蝗食禾節者或从則 蕺木蕺艸名
𨈯踐害之也 𣞙木名 ○勀紇則切法有罪也文二 閡礙也 ○黑迄得切說文火所熏之色从炎上出四文七 嫼
說文怒也 𢠲惛也 潶水名出黑山西 默嘿欬也或从口 䱾魚名鰊也 ○克亨亯𠅏𠅍
乞得切說文肩也象屋下刻木之形徐鍇曰肩任也負何之名也與人肩膊之義通作勝此物謂之克古作亨亯𠅏𠅍文十二 𡝩嫴老女卑賤謂之𡝩或
省 剋殺也 刻𠜐說文鏤也一曰痛也一曰豕跡古作𠜐 勊說文尤極也一曰自彊也 𢡊駭而自專也 ○裓訖得切衣
裓也文四 𡢃東也 䋡棘耤艸生也 𩋽翅也 ○餩乙得切噎聲文三 檍木名可為弓幹 䗷蟲名 ○或穫北切疑
辭文七 惑說文亂也通作或 淢水流也 蜮蟈蟲名短狐也或从國 䳼鳥名方言戴勝燕之東北謂之䳼 魊鬼魊回風
一說鬼因風伺人也或書作魆 ○𢃇忽或切巾帛被風聲或書作幗文一 ○國𡋯圀骨或切說文邦也古作𡋯唐武后作圀文六

[illegible]

集韻入聲十 二十八

[illegible]

蟈蟲名蝦蟇也 膕曲膝中 馘割耳也 ○復四北切復畐也文三 覆反也 蝮蟲名蝗也

二十六 ○緝七入切說文績也文十六 葺說文茨也 緁縎緶衣也或作縎 𧜟說文袷緣也 𢓭𢓭

行皃 咠說文聶語也引詩咠咠幡幡 𢜡心不正也 諿和也辯也 鞥鼓無聲 𩏂斂也 濈湒湁濈水沸皃或

作湒 趿博雅行也 𩆵霵雨下皃或省 ○靸𩎟息入切嬰兒履謂之靸或从韋文十三 卅四十也 霫雭

霒霫大雨一曰霎霫東北夷名或作雭 㗩㗩㗩寒聲 𤺧小痛也 箿織竹器緣 𨀈斂膝坐也 鈒小鏶 鄑邑名

𨇽行皃 𢪃持止也 ○𠻝即入切說文噍也一曰歛也文二十七 𥅎目動也 咠㖕咠咠聶語也或从口 𠍳

人眾也 潗淁水潗也一曰湁潗水微轉細通皃或作淁 㙫泉出於土也 湒說文雨下也一曰沸涌皃 䏓肥膏也一曰創潰出

皃 䌖說文合也一曰蠻夷貨 雧物相重累 斟說文斟斟盛也汝南名蠶盛曰斟 輯博雅輯謂之𨏔一曰車箱 揖聚也詩螽

斯羽揖揖兮 𥟖𥟖𥟖禾眾皃 蓺說文艸木不生也一曰茅芽 葺博雅覆也 䔱艸名菩也 𡼏山名 檝楫

舟櫂也或省 緝緝緝口舌聲 汁汁光紀黑帝號 𥴲博雅箭𥴲執也 𧜟捷緣 𩏂斂也 ○習席入切說文數飛也文二十九

謵說文言謵讋也 葺覆也 襲𧞤說文左衽袍也一曰因也籀作𧞤 𢧢兵捲也通作襲 褶袷也襲也一曰袴褶騎服

㴽濇㴽水皃 飁飁飁大風 霫霒霫大雨一曰白霫北狄國 隰濕𨻳𨸏說文坂下溼也亦姓或作濕隰古作𨸏 鸐

雛山海經小侯山有鳥狀如烏而白文名曰鴿鸐或从隹 騽說文馬豪骭也一曰驪馬黃脊 鰼魚名說文鰌也 㿝痹疾 熠光盛皃

䐲艡䶡覆船具或作艡𦪇 槢說文木也一曰梁也 𦺚艸名博雅水苜蓿也 蝟蛰蛰蟲皃 慴懼也 卒相次也

亼合也 ○雧集籍入切說文羣鳥在木上也一曰聚也成也亦姓或省文十五 亼說文三合也象三合之形 咠說文詞之

輯矣 慹說文怖也 輯說文車和輯也一曰斂也通作揖 檝楫舟櫂也或省 鏶鍓說文鏶也或作鍓 蕺

艸名菩也 葺䈕覆也或从竹 揖聚也成也通作輯 嵲嵲嵲山皃 ○溼濕失入切說文幽溼也从水一所以覆

而有土故溼也或作濕文三 䐑牛耳動皃 ○斟吐入切斟斟盛也文三 蟄和集也 濕濕濕牛呞動耳皃 ○執𡙁

質入切說文捕罪人也一曰持也古作𡙁文十二 讋讋講多言 𤬪縣名在北海 斟斟斟盛也 汁說文液也 𨧸羊華也一

說東夷謂鏊為鏊 蟄靜也莊子蟄蟲始作郭象讀 㔁執事者通作執 𥴲竹名 涅脣聲 慹說文怖也 ○十寔入切說

蹹 ［illegible］ 諳 ［illegible］ 十 ［illegible］

［illegible］ 一曰 ［illegible］ 說文 ［illegible］ 歙 ［illegible］ 汁 ［illegible］ 說文 ［illegible］

［illegible］ 說文 ［illegible］ 隰 ［illegible］ 濕 ［illegible］ 溼 ［illegible］ 㬤 ［illegible］

善也 葺 ［illegible］ 揖 ［illegible］ 㵫 ［illegible］ 鏶 ［illegible］ 集 ［illegible］

［illegible］ 𩎑 ［illegible］ 楫 ［illegible］ 㰷 ［illegible］ 亼 ［illegible］ 說文 ［illegible］

亼 ［illegible］ 也 ○ 𩐁 ［illegible］ 㠎 ［illegible］ 昔 ［illegible］ 聑 ［illegible］ 𠦜 ［illegible］

𠌯 ［illegible］ 𩐁 ［illegible］ 𩃬 ［illegible］ 㿠 ［illegible］ 𦑋 ［illegible］ 㷫 ［illegible］

鳹 ［illegible］ 說文 ［illegible］ 鵖 ［illegible］ 說文 ［illegible］ 隰 ［illegible］ 濕 ［illegible］ 㬤 ［illegible］

霫 ［illegible］ 說文 ［illegible］ 隰 ［illegible］ 啜 ［illegible］ 湁 ［illegible］

［illegible］ 說文 ［illegible］ 蕺 ［illegible］ 說文 ［illegible］ 𣿲 ［illegible］

集韻入聲十

緝 ［illegible］ 汁 ［illegible］ 𢷾 ［illegible］ 葺 ［illegible］ 蕺 ［illegible］ 說文 ［illegible］

［illegible］ 楫 ［illegible］ 葺 ［illegible］ 韓 ［illegible］ 揖 ［illegible］

集 ［illegible］ 說文 ［illegible］ 㠎 ［illegible］ 說文 ［illegible］ 湒 ［illegible］ 聑 ［illegible］

㴸 ［illegible］ 說文 ［illegible］ 𣿲 ［illegible］ 說文 ［illegible］ 甘 ［illegible］ 口

𡁠 ［illegible］ 說文 ［illegible］ 㰷 ［illegible］ 昔 ［illegible］ 日 ［illegible］ 㗩 ［illegible］

［illegible］ 小 雷 ［illegible］ 霤 ［illegible］ 湆 ［illegible］ 𦑋 ［illegible］ 飲 ［illegible］

［illegible］ 霫 ［illegible］ 霵 ［illegible］ 㗩 ［illegible］ 說文 ［illegible］ 沚 ［illegible］ 霤 ［illegible］

［illegible］ 說文 ［illegible］ 咠 ［illegible］ 𧨟 ［illegible］ 蕺 ［illegible］ 湒 ［illegible］ 集 ［illegible］

二十六 ○ 緝 ［illegible］ 說文 ［illegible］ 葺 ［illegible］ 鰼 ［illegible］ 楫 ［illegible］

圂 ［illegible］ 圖 ［illegible］ ○ ［illegible］ 說文 ［illegible］ 㯫 ［illegible］

文數之具也一爲東西丨爲南北則四方中央備矣文八 卄邙汁 卄邙縣名在蜀或从邑亦作汁 什 說文相什保也 拾 說文

掇也一曰射韝一曰劍削 褶 袴褶騎服 湒 水皃 ○入 日執切說文內也象从上俱下也文三 廿 說文二十幷也 㚔 盜不止也

○歰 濇 澀 歮 澁 色入切說文不滑也或作濇澀歮澁文十八 䔼 䔼䔼艸聲 𢕬 行不進也 譅 譅譶言不

止 𢥊 慳也 橵 木茂皃 喌 口不能言也通作歰 𤖼 及立皃 雭 雨也一曰小雨 翜 說文捷也 鈒 闟 鎩

鋋也或作闟鎩 濇 蠻夷酋長名唐有濇達國王摩俱濇思 ○㞓 測入切㞓屋从後躡也一曰少也文十二 䃎 石皃 𡎟 𡎟攝累土也

偛 偛傷小人皃一曰黠皃 𧝎 衣重緣 扱 取也 𥠳 種也 插 插桱林木皃 𢓌 行皃 觰 角多 品 衆口

䟷 闒人名 ○戢 側立切說文藏兵也引詩載戢干戈文二十三 咠 說文衆口也 㦸 喻也 𥈡 䁒 淚出皃或省 濈

湒 說文和也或省 䃡 石皃 膱 胥 肥膏出也或省 觶 觙 角多皃或从戢 偮 人衆皃 蕺 艸名葉似

蕎麥生濕地也 𢅘 及立皃 揖 聚也 輯 斂也 霵 霫 雨聲一曰雨下皃或省 驜 木盛皃 嶯 山名在越

大百廿五小六百八十九

𦖞 以新穀汁漬舊穀也 䔼 香菜 ○𡁷 仕戢切嚵𡁷衆聲疾皃文五 驜 木盛皃 𩧷 驟 馬衆也或从集

驜 驖驖馬行皃 ○縶 陟立切繫也文八 馽 說文絆馬也引春秋傳韓厥執馽前通作縶 𠳊 嗶嗶鳴也 䨲 小濕

也 鷙 卓鷙鳥行不平 蹞 足不相過 贄 不動皃通作慹 慹 怖也 ○湁 敕立切說文湁湒灊也文四 雴 博雅雨也

𡎐 說文下入也 𡎟 𡎟濕累土 ○蟄 直立切說文藏也文十二 䐲 博雅淪也 㑥 㑥㑥耕人行皃 墊 𡐕 博雅益也

一曰累土或从㬎 𦠄 脯也屈曰𦠄 㞙 說文屈屋謂少也 譶 譅譶言不止也 𣷌 汗出皃 𤁕 漐漐小雨 蓺 艸名

董也 桱 插桱林木皃 ○立 力入切說文住也从大立一之上一曰成也亦姓文十七 粒 𩚵 說文糂也古从食 𪘂 𪘂齰咬堅物聲

𥩟 臨也 鉝 胡食器林邑王獻流離蘇鉝 雴 雴霫大雨 笠 說文簦無柄也 苙 畜欄也孟子如追放豚旣入其苙一曰藥

艸白芷也 砬 砬磖石聲一曰石藥能制藥毒 岦 岦岌山皃 鴗 鳥名說文天狗也如翠而食魚 鵖 鵖鴔小黑鳥鳴自呼江東名烏鴗

颯 颯飁大風 泣 汱泣疾皃 㕸 石聲 𠯗 𠯗𠯗送舟聲 ○孨 孴 昵立切聚皃或作孴文十四 湆 濕湆水皃

灄 澀灄雨露皃 湆 湒湆沸聲 𡣍 姼𡣍婦皃 𨽌 阽𨽌陝皃 㘝 囡 囜 㘝㘝私取物或作囡囜 抐 挹抐

中制也 籋 箝也 蒳 萄 菈蒳艸密皃或作萄 ○揖 一入切說文攘也一曰手著胷曰揖通作挹文五 挹 酌也 咠

聶語也 葺 艸名一曰葺蒴艸密皃 ⿱⺮咠 挹器 ○熠 弋入切說文盛光也引詩熠燿宵行文四 ⿱羽日 聚皃一曰多也 ⿰虫習

⿰虫昱 ⿰虫習蝓蟲名螢火也或从昱 ○煜 域及切燿也文十二 喅⿰口霅 喅喅衆聲或从霅 曄熠爗曅

暐曄光也或作熠爗曅 ⿰氵急 急流皃 燁 火盛皃 皣 艸木白華 霅 霅⿱雨戢雨聲 騽 馬豪也 ○吸 迄及切說

文內息也文二十七 ⿰口霅 ⿰口霅⿱雨戢衆聲疾皃 ⿰言翕 疾言也一曰⿰言翕⿰言甲語聲 歙 說文縮鼻也丹陽有歙縣 熻 博雅爇也 翕 說文起也

一曰衆也盛也 噏 日乾物也 ⿰翕鳥 鳥名 ⿰目翕 視皃 翖 西域諸國官名有翖侯 ⿰翕刂 欲割也 ⿰翕阝 說文地名 ⿰翕殳⿰扌翕

擊也或从手 闟 安定意史記闟然更始 潝⿰氵急 說文水疾聲或作⿰氵急 嬆 女性淨 扱 斂持也禮以箕自向而扱之

脅胎 脅肩竦體也或作胎亦書作脇 ⿰亻翕噏 斂也老子將欲⿰亻翕之或作噏通作歙 ⿱合心 合也太玄瘱而⿱合心之 ⿰忄翕 心熱

皃 鈒 戟名通作闟 ⿸疒及 病劣也 ○泣 乞及切說文無聲出涕曰泣文十四 ⿰月㬎⿰骨㬎 胸脯一曰乾也或从骨 湆 說文

幽溼也 ⿰石㬎 砬⿰石㬎石聲 ⿰月立湆 博雅膜謂之⿰月立或作湆 位 位集人衆皃 ⿰目㬎⿰目巠 ⿰目㬎也或作⿰目巠 ⿰目㬎 目睛中枯也 扱

手至地儀禮婦拜扱地劉昌宗說 芨 艸名烏頭也 啦 吅啦送舟聲 ○⿱及心急 訖立切說文褊也一曰疾也隸作急文十八

伋 說文人名 彶⿰去及 說文急行也或从去 給 說文相足也亦姓 ⿸疒及 病劣也 級 說文絲次第也 汲 說文引水於井

也一曰縣名亦姓 ⿱汲金 鋤屬 芨 說文堇艸也通作急 跲 躓也禮言前定則不跲皇侃讀 鵖 鳥名 扱 引也 皀 穀香

品 衆口 ⿱艹急 艸名蒴藋也 ⿰阝及 階等也通作級 ○及⺄遘乀 極入切說文逮也徐鍇曰及前人也古作⺄遘秦

刻石文作乀文十七 ⿸戶及 博雅戶牡也 笈 負書箱 魥 新羅謂絹曰魥 苙芨 白苙艸名茝蕒也或芨 ⿱艹⿰立瓜 博雅

冬瓜⿱艹⿰立瓜也 鵖⿰及鳥⿰皀隹 鵖⿰及鳥小黑鳥或从及从隹 給 敏言也禮恭而不中禮謂之給 伋汲 伋伋虛詐皃或作汲 彶 急行 ○

邑 乙及切說文國也先王之制尊卑有大小文十五 ⿱⺮邑 捕魚竹器 浥 說文溼也 挹揖 說文抒也或作揖 悒 說文不安也

裛 書囊一曰香襲衣也 ⿰阝邑 ⿰阝邑⿰阝聶陜也 ⿰食邑 博雅臭也 ⿰女邑 ⿰女邑婚姊皃 唈 嗚唈短氣 ⿱艹邑 艸傷壞也 ⿱艹⿰扌邑 ⿱艹⿰扌邑蒴艸密

皃 厭 厭浥溼意 俋 耕人行皃莊子俋俋乎耕而不顧 ○岌 逆及切高過也爾雅小山岌大山峘文十五 ⿰亻岌 ⿰亻岌⿰亻岌人衆皃

⿰馬岌 馬行皃 ⿰口岌 ⿰口岌⿰口岌衆聲 ⿰虫岌 蟲行皃 ⿰魚岌 魚衆也 ⿰女立⿰女及 危也或从及 業 壯也詩四牡業業 扱

拜手至地也 嵒 地名春秋傳取宋師于嵒 圾 危也莊子殆哉圾乎天下通作岌 礏嶫 礏嶫山高皃或从山 ⿰王冊

舟行○鵖北及切鵖鴔鳥名戴勝也文四皀說文穀之馨香也象嘉穀在裹中之形匕所以扱之一曰一粒也𨺅屋險危皃㗊衆口

○鴔匐急切鵖鴔鳥名文一

二十七○合曷閤切說文合口也又州名亦姓文二十匌說文帀也郃說文左馮翊郃陽縣引詩在郃之陽一曰合也𠚑會也通作郃詥說文諧也䶜哈嗋食也或作哈嗋頜頜車也迨說文遝也拾拾橬木名朝舒暮卷翖

粭博雅秣粭也或从禾秴大合祭也閤閤人名列子閤周穆王車右峆峆嵧山皃盒盤屬䓞艸名唬柔也楁果名似李

○欱呼合切說文歠也或从口文十䶀𪖐䶀䶎鼻息或从夾𤸁說文病劣也匌帀也股肥也欶欶欱呻也㾑寒病也𣤨瘶也

○廅渴合切說文閉也或作庴文二十厒𠪐山左右有岸曰厒或从𠪐匌博雅帀也䁢欲睡皃佮姓也㕎厒壓也或从厂㝓容合也或从宀歁歁𣤸癡皃

峇山形一曰不滿意䛳䛳謵笑語嗑𧭁也頜姓也遂之彊族鉿博雅鉿鍉也𥢴矛也鼛鼓聲也𤼌病寒也

○閤葛合切說文門旁戶也文二十九庵閉也合兩龠為合佮說文合也匌帀也敆說文合會也頜說文頤傍

一曰耳下骨亦姓秴種也𣬍𣬍氉目睫長皃韐帢帢韐韐士服制如榼或作帢帢詥會言也鞈䩡

橐也一曰捍防也或从夾𢃇說文蒲席𣃔也一曰車藉拾𢫫押䶜哈食也或从口鉿鍉也浩浩亹縣名在金城郡

郃地名鴿𨿅鳥名說文鳩屬或从隹蛤說文蜃屬有三皆生於海千歲化為蛤秦謂之牡厲一曰百歲燕所化魁蛤一名復累老服翼所化或書作鉿

鮯博雅東方有魚如鯉六足鳥尾名曰鮯洽水名嗑聲也𪎎和也○姶遏合切說文女字也媕引春秋傳嬖人婤姶一曰無聲古从邑文二十二

㛳婦名唈邑鳴唈短氣或省罯署罯署覆也罨網也㷈爇火也

𩏈輡說文車具也或从車𤇼熟菜也鞥說文轡鞥一曰龍頭繞者馣香氣𨃺俺痷跛疾或作

黤癃𦄿繒也𤩿婦人首飾頜姓也春秋傳有頜氏𢈈豕屋脂竦體皃詩箋脂肩諂笑沈重讀𧼗𧼗趍走急皃

○𡁏鄂合切𡁏𡁏衆聲文十九㬎說文衆微杪也从日中視絲古以為顯字一曰衆口皃或从爲藺藺者絭中往往有小藺也𩶗魚名哈魚口

圾危也莊子殆哉圾乎岌圾圾乎或从山𧮂䛳𧮂笑語𦨡𦨼舟動皃或从及𥨥寢而首動也儑儑儑無儀檢皃

㾑寒病𥗊硆砐𥗊石皃或作硆砐岋動皃漢書天動地岋濕濕陰漢侯國名蛤蟲名𣤸歁𣤸癡皃○

趿 悉合切說文進足有所擷取也引爾雅趿謂之擷文十八 鞁韐𣪍 說文小兒履也或作韐𣪍 鈒 說文鋌也 𡛒 姂𡛒女字

𪚥 龍飛謂之𪚥 鏂 鏂也通作鈒 毯 毯𣯣目睫長皃 骰 骰髁首動皃 馺 說文馬行相及也一曰馳也 𢕕 說文行皃

一曰此與馺同 颯 說文翔風也 雭霎 博雅雭雨也或从妾 卅 說文三十并也 𤭢 器破 譅 譅譅言諠疾皃 ○

啑 所荅切啖也文一 ○ 𧽈 錯合切𧽈𧽢走皃文四 𡡉 貪也 傪 壯猛皃 磣 砂也 ○ 帀 迊 作荅切說文周

也从反之而帀也或作迊文二十一 𪛇 𪛇欶聲也 㕳 咂 噈 啑 唼 啖也或作咂噈啑唼 嘁 嘁咨恒怩慙也 噆 說文嗛

也一曰囓脣 沛 沸皃 𦎗 羊臆也一曰獸名似羊 𩵾 魚口動皃 魳 魚名 𢪸 拸 持也或作拸 浹 浹辰十二日也 𤑕

終也 𦸗 艸名 蝬 蟲多皃 𧺆 𧺆𧺆走急皃 ○ 雜 襍 昨合切說文五彩相合一曰集也或从衣集文十四 雥 說文

羣鳥也 𦶎 𥳐 户簾也或从竹 韴 齚聲 磼 𡾋 磼礏山高皃或从山 𨆸 止也 𨞐 亭名在貝 衆 不一

也莊子鳩朵天下之川通作雜 𩀥 𩀥縣海鳥爰居也通作雜 𦽷 艸名 灕 絕皃 ○ 答 畣 畗 德合切當也古作畣

畗通作荅文十九 荅 說文小尗也 匒 匒匌重疊也 溚 溼也 搭 擊也 𨂝 踏 跳也跛也或从荅 㾑 字林

肥皃 褡 被横謂之褡一曰衣敝 榙 榙㯚果名似李通作荅 聕 大垂耳皃 嗒 舐也 剳 鉤也 馽 縶也 嫸 嫸始

女皃 𩚩 皮縱 㺧 犬食 ○ 錔 託合切說文以金有所冒也文四十六 𢃗 帳上覆 撘 搨 搭 冒也一曰摹也或作搨搭

塔 墖 鑭 物墮聲或从沓亦作鑭 鞜 革履 𦋾 罔也一曰罶署覆也 𡝤 說文俛伏也一曰服意 佮 合也 榙 果名

說文榙㯚似李 䵬 黑也晉書羊曼州里稱爲䵬伯 𨤾 積厚也 𡌬 墊也 𧫱 誻 說文語相反𧫱也或从沓 嚃 大歠也禮

毋嚃羹 𪗖 哈 食也或作哈 䈎 竹目也一曰竹名 踏 箸地也 𨂝 說文趿也一曰跳也 𩋡 指衣 狧 㹺

說文犬食也或作㹺 𩕾 箸也 𩡰 物濕附 𦑣 飛皃 濕 漯 水名出東郡東武陽入海桑欽曰出平原高唐或作漯 𨎮 車釭 𣛻

桂帚 𪀚 鳥名 䓣 𦳹 菜名生水中大葉或作𦳹 沓 行擊鼓也 嗒 荅 解體皃莊子嗒焉似喪其耦或省 䑙 說文

歠也 𨅬 足重皃 鞳 鞈 𩍂 𪔠 闒 鏜鞳鐘鼓聲或省亦从眾从鼓亦作闒 ○ 沓 達合切說文語多沓沓也遼東

有沓縣一曰合也亦姓文四十一 䵬 黑也 𪔠 鞈 鞳 說文鼓聲也古作鞈或作鞳 誻 㗳 𧫱 課 說文誻誻

也或从口亦作𧫱課 譶 說文疾言也 𡝤 俛伏也 眔 說文目相及也 揩 𩏪 說文縫指揩也一曰韜也或从韋 踏

蹹蹋踐也或作蹹蹋 逻說文迨也 偕儑偕不任事也 堦累土也 緌字林絹重也 涾說文涫溢也今
河朔方言謂沸溢爲涾 嶜蹹足趾重也或作蹹 磆說文舂已復擣之曰磆 嶜山重皃 龖說文飛龍也 騽駁騽
馬行疾也 蝽蟲名博雅蝔蝽蛘也 遝蘆菔也方言東魯謂之菈遝 榙拄斗謂之榙 䎓䳴博雅翋䎓飛也或从鳥 㣵
帳上覆謂之㣵 譗多言也 箬竹名 鬖髮也 𧫝讋言不正也籀从二龍 踏跳也 𣣋歃𣣋聲也 ○拉
搚拹揄搨落合切說文摧也或作搚拹揄搨文二十一 柆說文折木也 𦙶𦙶臘肉雜也 菈菜名蘆菔東魯謂之
菈遝 𠩺砬說文石聲也或作砬 磖磖磼破物聲 𣢒𣢒歃不滿皃 颯翔風也 翋𦑣博雅翋𦑣飛也或作𦑣
雴雨聲 㸸㸸𤙖牛抵也 殦朽折也 庈屋聲 䶘齧聲 𧙗𧙗䙡衣敝 ○納内諾荅切說文絲溼納納也
一曰入也古作内文十二 衲補也 鈉治鐵也 𩋊博雅軟也 妠娶也一曰始妠聚物 㩉抐打也或省 軜說文驂馬内轡繫軾
前者引詩沃以觼軜 魶說文魚似鼈無甲有尾無足口在腹下 𥱔𦲛竹索 蒳香艸異物志葉如栟櫚而小實類檳榔

二十八○盇盍轄臘切說文覆也一曰何不也亦姓隷作盍通作蓋文十五 磕石聲 闔說文門扇也 𢩢
閉也亦姓通作闔 蓋青齊人謂蒲席曰蒲蓋 篕篕𥱼籧篨也 郃說文地名 嗑䛡說文多言也或从言 䛅
亦作䛅 鉀鑉方言箭小者長中穿二孔謂之鉀鑪或从蓋 𧇭藏也太玄𧇭其缺 熆吹火 ○𣤃黑盍切嗽也文三 歛
納歛魚名 蝔蝔蝽蟲名 ○榼𧓀醘克盍切說文酒器也古从盍或从酉文十七 磕說文石聲 𢻋敲也 𧝋𧝋襠婦人袍
搕取也 㕎山傍穴一曰地名 𩋈𩋈鞢革履 瞌欲睡皃 𨌰車聲 溘𣦸說文奄忽也或从步 蝔蟲名 𢩢
閉戶也 濭博雅依也 㿬疲病 ○砝居盍切石聲文二 䳒鳥名 ○䪞谷盍切䪞車頜骨文十二 嗑䛡嗑嗑
語也或从言 鎑鎑鏵溫器 蓋姓也 𩋈𩋈鞢履也 𨞺𨟓地名或从蓋 蝔蝔蜡蟲名 閘閉門也 鉀
鉀鑪箭名 鰪魚名似鰽而小 ○鰪乙盍切鰪鱂魚名文八 搕以手覆也 匎䐪飾采謂之匎或作䐪 盒說文覆蓋也
㕎山旁穴 𧇭藏也太玄𧇭其缺 鰪魚名 ○𥗼嶫王盍切磼礏山高皃或从山文七 𩩲顛𩩲顛首動
皃或从頁 瞸睫皃 業𤏫壯也詩四牡業業一曰危也古作𤏫 ○𠏩𠐍𡙇悉盍切博雅㒦㒦惡也或作𠐍亦省文十四
闒闔也 𦸗艸聲 㗳㗳㗳醜也一曰食皃 搋破聲一曰持也 襨袦襨衣敝 踕踕踕行皃 霅雨下也 戢

起也㙮㙮㙮土墮皃卅說文三十并也𠪗弦𠪗肉雜也○囃七盍切助舞聲文四雜集合意春秋傳宜雜然助之何休讀
磼石多皃或書作䃗𤅡沸皃○乖疾盍切惡也亦姓文四𧭹𧭹譄聲也𢹸攋𢹸和攬也𨒟疾走皃○
譫章盍切多言也文一○皶䐶德盍切皶皶皮皃或从肉文十五埣地之區處奋大耳曰奋搨擒
打也或作擒㥧心恐也剔鎝鉤也或作鎝餲餲飿食皃笚竹相擊嗒口動皃荅菜名砝
擸地鳴也韐皮服○榻揄託盍切牀也或作揄文二十七傝傝㒆惡也一曰不謹皃塌地下也遢遝遢行皃
謵讘謵諕多言或作讘鼛說文鼓鼙聲通作闒毾說文毾㲪也艗艒大船曰艗或作艒鎝說文瓨也
𦐇說文飛盛皃騔驡騔馬不進皃狧犬食或作㹺鰈魼說文比目魚也或作魼鰨魚名說文鰈鰨也
菭艸名可作布蹋蹈也䎓飛也鑉鑉鑪箭也溻濕也誻𧫣也或从習闒闒茸意下○蹋
蹹躢敵盍切說文踐也或作蹹躢文十六闒說文樓上戶也一曰闒閈里也謵說文嗑也譫多言䈎榻客席謂之
䈎或从木鈒器也搨抵也爛爛也擸㩉也𡒉塌墮也一曰地下也或作塌闒上闒谷名在犍爲獦獸走皃

○臘臈力盍切說文冬至後三戌臘祭百神或作臈文二十二蠟蜜滓鑞鑷錫也或作鑷爉火皃儠儠傑
惡皃襬獵襬衣敝磖石墮皃皶皺皶皶皮皃或作皺邋邋遢行皃翋鶍飛皃或从鳥䶃
齸嚏聲或作齸纈䌕纈颯紛雜皃或作䌕擸搯折也或作搨闒闒茸意下驡驡騔馬不進○魶
鰨諾盍切魚名鯢也似鮎四足聲如嬰兒郭璞說或作鰨文十魶鰨魶食皃笝笚維舟竹索或从甲齣齧也䟜衲
衲行皃或从彳豽柔也貀犬食皃
二十九○葉弋涉切說文艸木之葉也亦姓文二十四𥳑說文籥也枼說文牑也一曰薄也偞輕也一曰疾不甚皃
艓舟名擛聶擛擛動皃或从三耳緤繒帛番數也僷說文宋衞之間謂華僷僷一曰詘也容也殜殜殗病也
一曰微也揲閱持也楪牖也一曰楪榆縣名在雲中𣘗細端通作葉鍱說文鍱也齊謂之鍱煠爚也䮲帚端擖
箕舌禮執箕膺擖堞女墻也春秋傳環城傅於堞徐邈讀䈎𥳑也䁋目眇視餷糅餅屬或从米颵風動皃
騠馬行輕皃○魘厭益涉切眠不祥也或从止文二十一𨻵地名厭猒壓說文笮也一曰伏也合也或作

言失也 灄水名在西陽 韘說文射決也所以拘弦以象骨韋系著右巨指引詩童子佩韘或从弓 ⿰聶風風皃 歙

歙氣也一曰縣名在丹陽 躡 映 睫目動皃或作映睫 喢多言 淁裁有水也 ⿰忄耴怪也 悏怯也 ○歐色輒

切貪也文九 歃盟歃血也 ⿸尸臿从後躡也 喢多言 霎⿱雨亂霎疾雨 箑扇也 萐萐莆端艸 翣柩羽

飾 歐欲也 ○臿 鍤 ⿶凵臿磣歃切舂穀去皮也或从金亦作⿶凵臿文八 ⿰馬臿馬行皃 ⿰臿疌 ⿰甾疌揚麥扷一曰古田具或从

甾 插刺也 扱收也 ○謵尺涉切小言文十四 詀詀讘細語 呫 喢呫囁附耳小語聲一曰多言或作喢 姑說文

小弱也一曰女輕薄善走一曰多技藝 ⿰阝婁女態一曰前却不媚 ⿰忄耴偛⿰亻耴黠皃 ⿰亻聶說文心服也一曰懼也 ⿰聶欠⿰聶欠⿰聶欠氣動皃 ⿰氵耴

淁⿰氵耴水出 ⿰月耴⿰月耴⿰月聶肉動也 欇蔓木名虎豆也 捷插也 聶木葉動皃 ○讋 ⿱龖言質涉切說文失气言一曰

不止也籀不省文二十五 囁言無節一曰私罵 讘 譫說文多言也河東有狐讘縣或从詹 ⿸厤言言疾也 ⿱執言說文⿱執言讘也

霅霅霅震電 懾 ⿰亻聶說文失气也一曰服也或作⿰亻聶 慴說文懼也 慹不動皃 ⿱執巾巾也 襵博雅詘也

謂衣襞積 摺說文敗也 ⿱聶木說文木葉搖白也一曰木名似白楊或書作欇 ⿰聑瓦 ⿰土聶盎屬或从土 ⿰耳習耳也 ⿰豸聶 ⿰彳聶

博雅豕屬或作⿰彳聶 ⿰月枼 ⿰月聶切也或从聶通作聶 攝曲折也一曰龜名 聶合也爾雅守宮槐葉晝聶宵炕 ○⿲木水木 涉

⿱止夊實攝切說文徒行厲水也一曰歷也一曰水名篆作涉古作⿱止夊文十 ⿰糸步繒屬 ⿰金步鐵也 拾躡足升也 鍱鏶也齊人語

慴恐也 欇 聶蔓木爾雅欇虎櫐今虎豆或省 ○讘 囁 ⿱耳品日涉切詀讘多言或作囁⿱耳品文十一 ⿰馬耴馬行疾也

⿰虫耴蟲行皃 ⿺毛聶毛弱皃 ⿰月聶肉動也 顳顳顬耳前動也 ⿰耳支說文使也 聶附耳小語 灄水名 ⿰氵耴水皃

㚔盜不止 ○輒陟涉切說文車兩輢也一曰專也文十二 耴 ⿰耳耴說文耳垂也从耳下垂象形引春秋傳秦公子耴者其耳下垂故以

爲名亦姓或作耴 ⿰巾耴 襵說文領耑也或作襵 ⿰扌耴持也 ⿰金耴說文鉆也 ⿱艹耴艸名小葉 ⿰魚耴膞魚不鹽也漢書⿰魚耴鮑十鈞顏師古讀

⿰女耴⿰女耴⿰女臿女不善皃 ⿰耳支使也 ⿰木耴木小葉也 ○⿰月枼 ⿰枼刂直涉切說文薄切肉也或作⿰枼刂文十 ⿰目枼視不正皃 ⿰月習膋也一曰

生熟半 媟媟⿰女奄病也 ⿰土㬎 ⿰土坙廣雅益也一曰墊也或作⿰土坙 偞疾不甚皃 ⿱㬎足豆也 僷僷僷華也 ○鍤勑涉切綴

衣鍼文十一 ⿱竹枼博雅⿱竹⿰魚瓜也 ⿱竹臿竹葉 ⿰女臿說文疾言失次也 僷僷僷容也一曰華皃 煠博雅瀹也 ⿰忄耴偛⿰亻耴黠皃一曰

心動皃 ⿰氵耴淁⿰氵耴水皃 ⿱雨亂⿱雨亂霎小雨 謵謂讋語不正 喢多言 ○巤力涉切說文毛巤也象髮在囟上及毛髮巤巤

猒壓穲禾不實嶫山形㱘山谷地險隘也䁝目動皃𪖐頰輔也或省𪖐擪說文一指按也或書

作擫擫木葉動皃嬮博雅好也擖箕舌𢃵手網博雅罼罕図旃率也嚈嚈噠西夷名懕心可也揞捏也

嫕嫕嫕女態○瞸曄曅域輒切說文光也或作曄曅文九爗燁爗說文盛也引詩爗爗震電或作燁爗

曄說文艸木白華也瞱目動皃饁說文餉田也引詩饁彼南畝○㾜去涉切病少氣也文三喋江南謂吃爲喋

怯弱也○𦁜戟葉切博雅𦁜緤補縫也文二鵖鵖鴔鳥名○极極曄切說文驢上負也文八笈負書箱衱

交領謂之衱柗劒柙也拾更也鴔鳥名戴勝也𡰪屧𡰪从後躡一曰小步昅乾也○䵶憶笈切䵶鼃相及也文

十一𦁜𦁜緤補縫也腌漬肉裛書囊一曰香也𢃵手網鮑魚名也淹漬也錇博雅推也痷瘦病

踚跛也罨罔也○妾七接切說文有辠女子給事之得接於君者从辛从女引春秋傳女爲人妾妾不聘也文一十八䈉竹器鯜

鰈說文魚名出樂浪潘國或作鰈椄木名也䤔接也鍱鍱也褄衣衿也𠜽續也方言秦晉續緦素謂之𠜽緁

褄褶說文緶衣也或作褄褶淁水也踥博雅踥踥行也疌姓也𢯷鈒渠也𥟞土𥟞農具扱

插揷也或作插㥦幧頭𪐲絲壞色婕女皃渫去水也捷倢唼捷捷譖言或从人亦作唼睫

目傍毛睫睫臘日欲没○接㨗即涉切說文交也一曰捷也亦姓或作㨗文二十九緁續縷椄說文續木也

楫樴輯艥說文舟櫂也或作檝輯艥䀹睫𥉄𣯿𣰆䁋𣰟說文目旁毛也或作睫𥉄𣯿𣰆䁋𣰟

淁水名啑多言疌闕人名史記衞疌伯周諸侯湕湕澀水出皃婕說文女字也倢說文佽也一曰倢伃女字通作

婕㡇𧙕衣衿或从衣䈉竹䈉䈉萋艸名說文萎餘也叢生水中葉在莖端江東呼爲著鯜魚名𤭊瓦相掩一曰

半瓦睫睫䁾日欲没腱䁾也○疌疾葉切說文疾也从止从又又手也屮聲文十八捷說文獵也軍獲得也引春秋傳齊人

來獻戎捷一曰亟也緁緶衣也𠋣倢博雅疾也汝也一曰斜出入或省諜多言踕足疾䌖合也一曰遠夷物

𡾰𡺶山皃或作𡺶接勝也易晝日三接禮世子生接以太牢皆鄭康成說一曰交也椄椄槢梁也艓舟行也寁

作屋居之速也䕐編艸障户也婕美也箑扇也磪磼磪山連屬皃○攝失涉切說文引持也一曰假也一曰龜名

文十八欇博雅杖也一曰木名似白楊一曰虎櫐亦書作欇慴懾慴恐懼也葉縣名亦姓蠂蟲名蝗也諜讋諜

之形文三十七 鬣𩭼𩯤 說文髮鬣鬣也或作𩭼𩯤 獵 說文放獵逐禽也通作猎 獦 戎姓 犣 牛名 䮶 馬䩞
鱲 魚名 儠 說文長壯儠儠也引春秋傳長儠者相之 㗲 聲 颲 風聲 擸 𢹂 說文理持也或作𢹂 躐 𨃽
踐也或作𨃽 邋 說文㑥也一曰邋遢也 瀸 水聲 襵 衣皃 劗 博雅齧也 薕 艸動 籋 竹名 䁽 病視也
欎 蔓木名虎豆也纆林木而生 驪 馬行皃 讗 讗讗多言 瞸 日欲入也 鼓 鼓聲 礲 一曰谷名 䃳 聚名在上蔡
巤碑山連屬皃 壏 土皃 鬣 𩣑 車具以禦風塵也或作𩣑 䑝 劍兩刃也鄭康成說 畢 地名鉅鹿下曲陽縣西南有肥累城 豵 豕長
毛謂之獵 爉 火聲 ○聶 昵輒切說文附耳私小語也亦姓文二十五 㗨 說文多言也从品相連引春秋傳次于㗨北 㚔
幸 說文所以驚人也一曰犬聲也一曰俗語以盜不止爲㚔隸作幸 䁕 聑 目動或从耳 懾 囁 㒆也或从日 罜
伺視也吏持目捕人曰罜 𦘒 說文手之疌巧也从又持巾 拈 拈也 籋 箝 鑷 鑈 鉯 說文箝也或从聿亦作鑷鑈鉯
𩑑 敊敊相及也 疌 說文機下足所履者 躡 說文蹈也 踂 足不相過也楚謂之踂 耴 耳垂皃秦穆公子耳垂字之曰
耴 襵 補衣 䮶 騳 說文馬步疾也或作騳 鵇 鳥飛皃一曰鳥名 ○ 抾 去笈切廣雅去也文一 ○ 庿 莊輒切

也一曰屋庳皃文三 㴸 下溼皃 偛 偛㑖黠皃一曰皮皺 ○ 偞 虛涉切畏迫自卑也一曰羨容文十 歙 惵 懼皃或作惵
瞸䁋䁋 目眇視或作䁋䁋 鍱 鍱 鋌也鍱也或省 㻡 弽 射決也或从合 ○ 㜸 丑聶切說文疾言失次也文一
○ 鵖 貶耴切鳥名文一 ○ 姂 匹耴切女皃文一 ○ 䞕 息葉切䞕䞕行皃文四 颵 風皃 𩅥 雨雪皃 𩋗 漸也
三十 ○ 帖 託協切說文帛書署也文二十六 怗 惵 靜也或从業 貼 說文以物爲質也 鞊 說文鞍飾 跕
行皃 屧 屟 䕷 履中薦或作屟䕷 𩟄 餅屬 鼙 𪔚 說文鼓無聲也或作𪔚 鉆 鐵鉗也一曰膏車鉆
呫 嘗也 蝶 蛺蝶蟲名 𤝜 狜 犬小舐或作狜 帖 領耑 諜 安也一曰軍中反間也 笘 簡 堞 堞 女墻也或省
詀 安言 跕 蹈也 擪 壓 一指按或作壓 ○ 聑 的協切說文安也文二十八 㖔 多語也 鞊 鞊鞢馬被具 帖
衵 領耑或从衣 迼 迼逪走皃 喋 渫 血流皃或作渫 跕 跕跕墮落也一曰徐行 䄇 方言稍謂之䄇 䵘 竹裹黑
笘 笘䈞籲也 拈 說文拈也 𡫢 博雅厭也一曰屋傾 墊 地下 𩅞 寒也一曰早霜 沾 沾沾自整皃 䡐 輒然不動皃
佔 佔㑦輕佻皃 𩬶 龍鬐也 𡍕 田器 怗 怗懘志輕也 棂 棂椪葦也 譫 多言 涉 水下皃 扂 也

鞊 鞊鞢帶具 聑 小耳垂 ○牒 達協切說文札也文四十九 牃 牀簀也或从木 㭯 屋笭 諜 說文軍中反間也

喋 血流皃一曰多言 慴 懼也 盩 田器 䁋 閉目 惵 安也或作惵 揲 閱持也 㩸 排也

疊疉 說文楊雄說以爲古理官決罪三日得其宜乃行之从晶从宜亡新以爲疊从三日太盛改爲三田一曰厚也屈也懷也 𦇎 絲數 𣟄

木名有緜可爲布 氎𣯷 毛布或从罪 㙒堞 說文城上垣也或从業 墊 江名在廣漢 褺 說文重衣也巴郡有

褺江縣 𧞬褋 說文南楚謂禪衣曰褋或省 褶 襲也儀禮襚者以褶一曰褶衣之在上者也短身廣袖一曰左衽之袍 𨇾

走聲 䠟蹀 說文䠟足也一曰小步或作蹀 鍱鍱 博雅鋌也一曰鐶也或省 劕 刺也 𩏂 博雅鞢也 𨍸 車聲

渫 浹渫凍相箸 𥳐葉 書篇名或从艸 渫 渫渫波連皃 𪐞 竹重黑 蜨蝶 蟲名說文蛺蜨也或作蝶

𪇰 鳥名山海經𪇰禦火二首四足如斑鵲 䐑 治也 槢 梁也莊子桁楊接槢徐邈讀一曰柃中栓一曰檻下橫木 鰈鰨 東方比目

魚名或作鰨 艓 舟名 䕣 艸名 蹀 博雅屧也 ○瓿甄 力協切說文蹈瓦聲一曰瓦薄也或省文二十五 飆 風也

霵 小雨皃 鬑 鬑踕皃 踥𨘁 行不正也或作𨘁 劦 力不輟也 𤮾 堅土 𪐞 竹重黑 嚦譀 嚦呬多言

或从言 頰𦖋 耳垂也或从夾 𥳓 竹笭所以乾物 甄衣 衣相箸 甄魚 魚名 甄木 木踈皃 蛺 蛺蜨蟲名胡蝶也

甄虫 蟲行皃 𢡹 𢡹佩輕薄皃 甄豆 鼓聲 甄火 火聲 𥱩 竹笸也 䕈 艸葉踈皃 ○捻 諾叶

切捏也通作歛文三十二 擟㩸 撳擟中制或作㩸 𩋘 字林鞍䩞薄也 攝 持也一曰攝然安也 鑈鉩鑈釩

博雅正也或省隸作鑈亦作釩 㢘 壓也 錜 小鈸一曰小頭釘 䬯𪌺 餅也或从麥 敜 說文塞也引周書敜乃穽 𡊘 博雅

深也一曰空也靜也 埝 益也一曰陷也 踗 行輕也 䎡諗 聲止也或从言 惗 思也 暬 晦也 慹 不動皃 荼

疲皃一曰忘也 𥬃 竹索 䒞 艸名 蓺 艸不生一曰茅芽 擪壓 一指按也或作壓 袩 博雅褙袩袥謂之褸衩

𥨓 屋下傾 籋𥫩 箝也或作𥫩 ○劦 檄頰切說文同力也引山海經惟號之山其風若劦通作協文十九 協叶 說文衆之同和也一曰服也合也古从日十或从口 恊 說文同心之和 勰 說文同思之和 挾接 說文俾持也一曰輔也或作接

俠夾 說文俜也一曰傍也亦姓或省 綊 說文紅綊也 浹 浹渫凍相箸 汁 汁光紀黑帝號 裌 衽也一曰褱裌藏也 㸸

牛健謂之㸸 𢃄 束帶也 䅊 穧也 𩗱 風調也通作劦 鵊 鳥名 ○頰𩠅脥 吉協切說文面旁也籀作𩠅或作脥文十

三筴箸也一曰小箕鋏說文可以持冶器鑄鎔者一曰若挾持一曰劒也莢說文艸實一曰艸初生一曰蓂莢瑞艸亦姓

稴秎稴穧也唊誗說文妄語也或从言蛺蟲名說文蛺蜨也夾俠傍也或从人挾持也○匧

篋詰叶切說文藏也或从竹文十七蛺蛺蝶蟲名㥦悏婡說文快也或作悏婡亦書作㥦㥦叶也太玄㥦而念之脥

腹下也㰼美欲也𣣷吹气也㥦說文思皃㾜𤸷說文病息也或作𤸷𪚮小龜名腹甲曲折解能自張閉者郭璞說

𡸣山皃㥷嗛足也或从口○㛍呼帖切說文得志㛍㛍一曰㛍息也一曰少气文二欶喘息○燮悉協切說

文和也从言从又炎徐鍇曰此蓋从燮省言語以和之也二字義相出入故也文三十六燮㸒說文大孰也从又持炎辛辛者物孰味也

籀从羊屧𡱺躞䕞說文履中薦也或作𡱺躞䕞㦪意不平一曰怊㦪志輕也欆楓欆蕈名躞

𨂷躞蹀行皃或从習㗭壞聲𨒡迅𨒡走也弽射決也通作韘徢趨行皃艓舟行也㑎佩㑎輕佻

皃鞢鞊鞢馬被具韘鞊鞢帶具甈瓦破聲瓊說文石之次玉者颾風皃𦟪楪𦟪楪小楔一曰簡也

或作楪䎣使也蜨蠖蟲名博雅蛺蜨蟚蛈或从燮睫閉目也婕治也椄椄槢梁也淮南子大者為柱梁小者為椄槢

擛持數也易擛之以四𢸸取也諜言相次也萐艸名䧘濕闕人名春秋傳有公子䧘或从水○浹即協切說

文治也徹也通作挾文八浹浹渫凍相箸㼤半瓦謂之㼤一曰瓦相掩梜持也詩既梜我矢帢巾也婡气劣皃䁝

目閉帆衣領○𧂯𦺗疾協切艸名或从捷文三踕行皃○𢧐千俠切小折聲文一○浥乙俠切窊陷也漢書

踰波趨浥郭璞讀文一○挾尸牒切持也文二蜨蛺蜨蟲名○蛺於叶切蛺蝶蟲名文一

三十一○業𤖟𤕜逆怯切說文大板也所以飾懸鍾鼓捷業如鋸齒以白畫之象其鉏鋙相承也从丵从巾巾象

版引詩巨業維樅或作𤖟古作𤕜𧭿樂也𤔗引也鄴說文魏郡縣亦姓㥷懼也通作業

緤紬緤補縫也𠠝續也嶪𡸣嶪山皃或書作嶫驜馬高大謂之驜䱶魚名鸈鳥名知人吉凶鱳

魚盛皃𠰻𣦐口動皃或从欠㶒橫水大版𡶤厓險危皃○𡡞𡢃余業切㜸𡡞病也或作𡢃文三䣋樂器

○脅迄業切說文兩膀也或書作脇文十九熁火迫也胠脇脥腋下也或从劫亦作脥歙歊說文翕气

也或省噏合也吸也莊子口張而不能噏愶恊博雅怯也或省𢴾搚擒說文摺也一曰拉也或从脅从翕𣧑

集韻 入聲下 四十

[illegible]

莢 [illegible] 鋏 [illegible] 說文可以持冶器鑄鎔者 [illegible] 莢 說文 [illegible]

[illegible]

三十一 ○業 [illegible] 逆怯切說文大版也所以飾懸鐘鼓捷業如鋸齒以白畫之象其鉏鋙相承也从丵从巾巾象版 業 一曰大也緒也事也始也危也 文十九 [illegible]

[illegible]

弓強 滑水流皃 脇竦肩也通作脇 刦強取也莊子刦請之賊 鮎魚脅也山海經鮎魚羽在鮎下 塉隄也 ○ 狧

怯乞業切說文多畏也杜林說从心文十三 呿呿呿聲也 抾持也挹也 呿臥息 胠說文腋下也一曰法也 㾀欠氣也

㾀羸也 厺厾厓也或作厾 魼枯魚 湇羹汁 刦強取也 ○ 劫訖業切說文人欲去以力脅止曰劫一曰

以力止去曰刦文十八 刦強取也 抾㧜持也馬融曰抾封狶或作㧜 鉣鉠說文組帶鐵也或从劫 衱裾也 袷

交領 跲說文躓也一曰代也 綊縫也 㘃聲也 砝碣硬也或从劫 蜐蛣石蜐蟲名足如龜或省 睫急視 极

艸名 柗斂押 ○ 磼士劫切磼碟破物聲文一 ○ 跲劫䠊極業切說文躓也或作劫䠊文九 拾斂押 拾更也

极驢上負也 笈負書箱 吸日乾也 給恭不中禮曰給 ○ 腌胞乙業切說文漬肉也或从邑文三十二 淹

漬也 鯜鮑魚名一曰河豚一曰漬魚也或从邑 餣博雅餣餣飼也 餩餘鹹臭也或从臭从奄 晻閉目 俺

說文大也 𡚯㷈 痷博雅病也或作㷈痷 浥濕也詩厭浥行露 鞥車具 稖禾敗不生 罨手網 爓火不

明 裛說文書囊也 俺懆頭也 踕跛也 罨說文罕也 稖𥢁博雅稖積種也 畽也或从田 鑪鐅鑽也

給敏言也禮恭而不中禮謂之給 呿口開皃 敆敆䶞相及也 鎑樵也一曰治甲器 掩打也 迲前頓也 ○

堞直業切田實也賈思勰曰秋田堞實文一

三十二 ○ 洽轄夾切說文霑也一曰和也徧也文二十七 祫說文斂祫也 霅㵢溼也 祫說文大合祭先祖親疏遠近也

引周禮三歲一祫 陜陿峽狹說文隘也或作陿峽狹 㽠說文辟也 䀹溝相接 硤硤石縣名 跲

走皃 烚火皃 䀹相著也 齤齺齒曲生皃一曰缺齒一曰唯聲或从咸亦書作齾 玲蜃飾器 給歲在未曰汁給通作洽 敆

郃爾雅合也或作郃 袷領也 韐韎韐紳也 齡盡內口中也 浹浹渫水皃 姎女行急皃 蛺蛺蜨蟲名 浹

字林浹渫凍相著 ○ 鵊䶎歁迄洽切鵊䶎鼻息或从合从欠文九 㴼㴼瀸湍流也 㰹息也 歃歁欱博雅㗂也

或作歃欱 齤嚖聲 ○ 恰乞洽切說文用心也文十九 帢㓣㥦㥦㮫㡊㡊弁缺四隅謂之帢恰士服

也一說魏武帝𢆶古皮弁以帛為之以色辨貴賤一曰按頭使下故曰帢或作㓣㥦㥦㮫㡊㡊 掐抓也 剳陷也通作斜 斜入也 䁖

䀫說文目陷也或从䀫 齤唯聲 瘥創也 㑢合也太玄㑢而㑢之宋惟幹讀 姶姑也 袷衣縫一曰衿也 湇肉汁

集韻入聲十

三十二○洽轄夾切

○夾挾訖洽切說文持也从大俠二人或从手文三十三郟說文潁川縣亦姓袷裌說文衣無絮也或从夾袷

韐𩋠說文士無市有袷制如榼缺四角爵弁服其色韎賤不得與裳同鄭司農曰裳纁色或作韐𩋠鞈說文防汗也浹瀓也𩋠

𩌏說文鞮𩋠沙也或从盍齜噍聲餄𩜍餌餅也或作𩜍餌䀹睞眇也一曰目睫動或从夾跲躓也

𤸷劍也一曰獸足病謂之𤸷筴箸也唊多言梜說文檢押也一曰木名一曰木理亂鵊鳥名杜鵑也一曰書篇名陰陽家有鵊洽

子篇俠傍也陝地名周召所分蛺蛺蜨蟲名枱劍匣埉水旁地㽠辟也䓞艸名浹浹渫凍相箸皃

䀹相箸也○𨂝𡰪乙洽切跛也或从允文十二䆟土埶凹㕉低下也或作㕉𤵽江淮之間謂病劣曰𤵽

圔窊圔聲下皃浥潝水窊陷也史記踰波趨浥或从翕姶女巧痷𤺄病也或从盍○䁠仡甲切視皃文

一○歃㰱哈色洽切說文歠也引春秋傳歃而忘或作歃哈文十一𣹸說文飲歃也喢喢喋小人言㷸說文捷也

飛之疾也一曰俠也䁊目睫動皃𡲹从後𡲹也𧽑𧽑𧽑行疾皃𩗾風急皃㵫盍也○臿𦥸舂臿

測洽切說文舂去麥皮也从臼千所以臿之或从臼从舂亦作臿文二十五鍤說文郭衣鍼也一曰鍫也插捷說文刺內也或作捷𢓭

𨔖行皃或从辵扱接說文收也或作接𩜂餌也𧪫僞言㮑木折聲𡲹說文从後相臿也𪘨

𪘨𪙊齒動皃笈負書箱𤜣犬食也炈火乾也㛼疾言失次也一曰怯也喢喢嚘小人言偛偛傷小人

切皃𠠍聲䐑膌肉也鍤說文㪒也古田器○眨䀹側洽切目動也或从夾文十五霅雨聲皺皺皺老人

皮膚皃蹅足動皃諂譇諂多言偛偛傷小人皃一曰黠皃插𣾽插下溼一曰滴水也𡲹㨲也嚓噍聲緁

縫也𧚔重緣也㕸豕食巀山名在越插攝也○萐寶洽切說文萐莆瑞艸也堯時生於庖廚扇暑而涼文十六

𦘢箑行書也秦使徒隸助官書艸𦘢以為行事謂艸行之間取其疾速不留意楷法也从筆从疌或作箑諂諂讗言不定婠

女皃瀐𣾽瀐湍流𩥅䮜馬驟皃或作䮜𢓭𧽑偞行疾或作𧽑偞渫水名在上黨𨹧閘城門具一曰以版有所

蔽煠𤏲博雅瀹也或作𤏲鰈鯉鰈鰈鯐衆多也一曰裝飾衆皃○劄竹洽切刺著也文八䮖馬行皃譗

譗譇言無倫脊也㑋㑋侹忽觸人也𧌑蚊蟲也溚濕也䨲雨聲𠡍謹力也○盇敎洽切和五味以烹

也文二𧷏博戲名○図国昵洽切說文下取物縮藏之或作国文十三𦢊臑也𥻸粘也庴𢈔庴隘也回

二也文 䶦 名博雅 ○ 図 囙 藏也或作囬文十三 㽣 呢洽切說文下取物縮 䎕 也㸐 㴸 也治 函 函區也函 回
籀省也 㛿 言無 佮 䪞入 䏧 也合 㕷 也蟲 㳒 也濕 雷 聲雨 劯 也謹力 ○ 函 王木治切 嚈 知
𧨄 䜌 煠 油 汲 博 雅 䌯 一曰 篏 㒒 多也 ○ 劄 訪 作 刺 入 䮳 貌 馬 行 䛅 所
女 䌖 貌 𩑈 𩓅 䍡 貌 𤗬 䌯 㳠 䉚 𣺂 上 䘒 水名 在 䢝 閘 㴸 具 一
𨖺 𥳁 文 行 書 閱 也 取 其 疾 速 不 留 意 㰹 浹 也 从 筆 从 兵 或 作 𥲵 𧫯 言 不 定 𡚺
也 𨏃 也 重 㕎 負 多 㠝 在 山 名 峽 也 ○ 萐 生 庭 實 治 切 說 文 扇 也 十 六 䟎
貌 皮 䟗 貌 兒 動 誥 言 多 諶 誥 一 曰 𠀃 小 貌 𨛶 一 田 㳠 不 安 也 㛤 㕸 也 繕
貌 㓸 聲 切 䶢 也 體 肉 䜂 古 田 器 說 文 插 也 ○ 䁡 㶊 或 从 夾 十 五 雷 聲 雨 䦅 一 曰 入 䦅
動 貌 𤸱 㣤 書 䌯 也 木 炙 食 也 笑 㛤 一 曰 疾 言 也 㛿 一 曰 入 言 㴸 小 䕱
𨔝 从 行 貌 或 㹤 䞯 說 文 持 也 𤯔 也 㑯 言 㥁 聲 木 㑯 相 說 文 从 𢔛

小六 大二 十十 四四 九九 䀹 一曰 從 䏧 睫 貌 動 䀯 目 閉 𡊞 貌 䟒 亦 作 㴸 文 二 十 五 以 䤵 也 一 曰 藏 也 𨏃 也 說 文 作 㲺 𢛁 兩 本 𦧂 䴳 㓂 也 𢾾 也 㕸 聲 貌 𨐿 貌 㴸 㠜 貌 ○ 㕎 㕎 㰹 也 䬋 通
○ 一 䣺 歃 䶑 敵 而 志 或 作 𢾕 咨 文 十 一 春 秋 傳 㴸 說 文 入 飲 㔩 入 言 㔩 小 㕸 㕸
囨 不 貌 安 圖 聲 洽 澮 木 名 以 合 也 洽 說 文 以 會 說 文 𤄲 㳠 睡 也 ○ 㲼 視 貌 小
㲻 也 相 善 ○ 䶢 𧾷 㓉 以 乙 治 切 說 文 十 二 𡧯 土 凹 㕩 下 也 㳠 江 淮 之 間 謂
𢔓 也 陝 地 名 所 以 𧊟 蟲 名 㳠 匣 𥌓 也 水 名 也 屏 㳠 㕡 名 地 㴸 貌 東
瘲 貌 䁡 也 一 曰 暴 也 善 㕡 言 多 枚 木 名 又 㴸 也 一 曰 䳢 鳥 名 杜 鵑 也 一 曰 書
㕸 也 說 文 以 盡 㓵 㬝 聲 㔩 䏩 㴸 目 貌 一 日 目 䶗 也 䶗
韐 說 文 不 得 㲺 同 㽣 言 噬 也 或 作 䤵 㪣 㕸 汗 也 說 文 防 也 㴸 䩞
○ 夾 㓂 三 入 或 从 手 文 三 十 三 㴳 說 文 頰 旁 也 从 大 夾 說 文 象 無 市 合

四回物低垂皃㜚美也敹盡也嗡唶嗡小人言傝俹傝小人皃齺齺齺齒動皃笝竹維舟謂之笝
一曰補籬也㵐水動皃○䙷力洽切衣敝文一○𧭈五洽切誧𧭈語笑皃文二䀹婡䀹戲謔皃○𣯊
㲲徒洽切毛布也或从疊文二
三十三○狎轄甲切說文犬可習也一曰更也近也文十八匣說文匵也魻魚名虖虎習搏皃㤶悅也
筪笚竹名或省炠火乾也翈博雅翈翐羽也袷衿也鞈華葉重多皃霅眾言聲一曰霅陽地名在
樂浪舺艀舺舟也押撿押隱括也顏師古說訷諭訷語聲也柙𣚍𠭁說文檻也以藏虎兕或作𣚍古作𠭁○
甲命古狎切說文東方之孟陽气萌動从木戴孚甲之象一曰人頭空為甲甲象人頭古作命始於十見於千成於木之象一曰介鎧也一曰
狎也亦姓文十五鉀鎧也通作甲笚竹名一曰擊也胛闔也與脅相會闔也迊闊人名玾玉名押
轄也柙木名砰岬兩山之間為砰許慎說或从山舺艀舺舟也匣匵也䘥廣雅襦也跲行聲○押
乙甲切按也文十二𣲷𣲷浛下溼浥水流下皃壓厭說文壞也一曰塞補也伏也或作厭庘壞屋謂之庘一曰豕屋𥥛

說文入脈刺穴謂之𥥛閘說文開閉門也鴄鴨鵪鳥名博雅鳧鶩鴄也或作鴨鵪亦書作𪀁鴨鵪擪按也○
呷迄甲切說文吸呷也文六訷多言也譀誕也㰹㰹㰹鼻息嗑嗑然笑聲魻魻鰈鱗次眾多皃○翣
萋接翜攝翣箑色甲切說文棺羽飾也天子八諸侯六大夫四士二下垂或作萋接翜攝翣箑文二十㥦面衣
也博雅㬪屩謂之㥦帞褄䙷褄衣敝啑唼啑喋水鳥食皃或从妾𣗁木理起皃𧳜博雅𧳜𧳜牝豕也霎
散也漢書霎然陽開𧳜𧱑獸名或从豕箑說文扇也通作萋萐萐莆瑞艸也王者不嗜味則生於廚蜨蛺蜨蟲名
霎雨聲一曰小雨○霅直甲切說文霅霅震電皃一曰眾言文九搭押搭重接皃𤃋水名通作霅渫徐去也一
曰水皃渫淡渫凍相著鰈魚名一曰魻鰈鰈鱗次皃鞢鞈鞢華葉重多皃喋啑喋鳥食皃揲數也○
霅斬押切地名霅陽障在樂浪文一○挾子洽切持也文二啑啖也
三十四○乏扶法切說文引春秋傳反正為乏一曰匱也文六汎泛汎渫聲微小皃或从乏姂說文婦人皃
疺瘦也貶射者所蔽通作乏○灋法㳒弗乏切說文刑也平之如水从水廌所以觸不直者去之一曰則也亦姓或省古作㳒

金文四 妋博雅好也 ○ 猫敕法切猫狐飛皃文一 ○ 爆叵乏切病也文一 ○ 狐眨法切猫狐飛皃文三 漩水皃

䶱静也 ○ 猲獙气法切短喙犬一曰恐逼也或从歆文四 姂好也 抾挹也 鍂下法切餉也文一

集韻卷之十

景祐元年三月太常博士直史館宋祁三司戶部判官太常丞直史館鄭戩等奏昨奉差考校御試進士竊見舉人詩賦多誤使音韻如叙序座坐底氐之字或借文用意或因釋

轉音重疊不分去留難定有司論難互執異同上煩

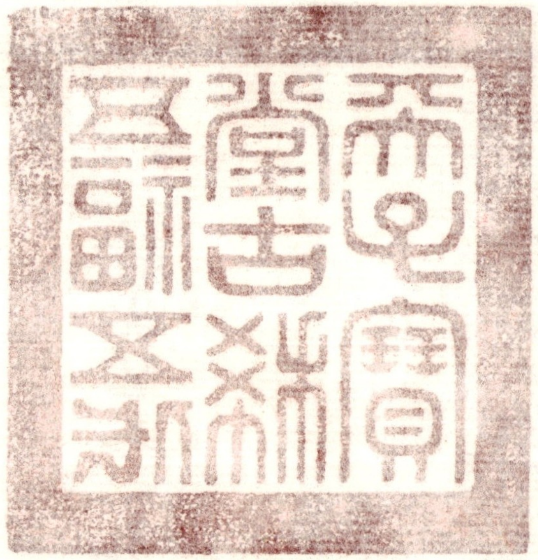

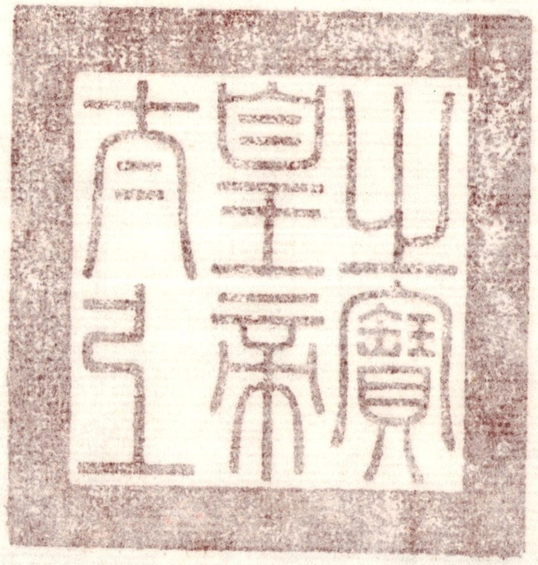

圖書在版編目(CIP)數據

集韻/〔宋〕丁度等撰.—北京：北京圖書館出版社，2003.6

(中華再造善本)

ISBN 7-5013-2208-2

Ⅰ.集… Ⅱ.丁… Ⅲ.韻書—中國—宋代 Ⅳ.H113.4

中國版本圖書館CIP數據核字(2003)第039553號

ISBN 7-5013-2208-2

9 787501 322084 >

書名 集韻(全十冊)

著者 〔宋〕丁度等 撰

出版發行 北京圖書館出版社(100034 北京市西城區文津街七號)
Tel:(010)66151313 Fax:(010)66174391
E-mail:Btsfxb@publicf.nlc.gov.cn
Website:www.nlcpress.com

造紙 華寶齋

印刷 杭州富陽古籍印刷廠

開本 八

印張 一二五·五

版次 二〇〇三年七月第一版第一次印刷

印數 一—四五〇

書號 ISBN 7-5013-2208-2/K·573

定價 三〇二〇圓